# L'HOMME DE LA SASKATCHEWAN

DU MÊME AUTEUR

*Mon cheval pour un royaume*, Éditions du Jour, 1967 ; Leméac, 1987.
*Jimmy*, Éditions du Jour, 1969 ; Leméac, 1978 ; Babel, 1999.
*Le cœur de la baleine bleue*, Éditions du Jour, 1970 ; Bibliothèque québécoise, 1987.
*Faites de beaux rêves*, L'Actuelle, 1974 ; Bibliothèque québécoise, 1988.
*Les grandes marées*, Leméac, 1978 ; Babel, 1995.
*Volkswagen blues*, Québec Amérique, 1984 ; Babel, 1998.
*Le vieux Chagrin*, Leméac / Actes Sud, 1989 ; Babel, 1995.
*La tournée d'automne*, Leméac, 1993 ; Babel, 1996.
*Chat sauvage*, Leméac / Actes Sud, 1998 ; Babel, 2000.
*Les yeux bleus de Mistassini*, Leméac / Actes Sud, 2002 ; Babel, 2011.
*La traduction est une histoire d'amour*, Leméac / Actes Sud, 2006.
*L'anglais n'est pas une langue magique*, Leméac / Actes Sud, 2009.

JACQUES POULIN

# L'HOMME DE LA SASKATCHEWAN

roman



*LEMÉAC / ACTES SUD*

Leméac Éditeur reconnaît l'aide financière du gouvernement du Canada par l'entremise du Fonds du livre du Canada pour ses activités d'édition et remercie le Conseil des arts du Canada, la Société de développement des entreprises culturelles du Québec (SODEC) et le Programme de crédit d'impôt pour l'édition de livres du Québec (Gestion SODEC) du soutien accordé à son programme de publication.


ISBN 978-2-7609-0713-3


ISBN 978-2-330-00391-3

*Imprimé au Canada*

Denise Cliche et Pierre Filion m'ont fait l'amitié de suivre pas à pas le développement de cette histoire.

J. P.

Tous les Métis sont nos frères,
et nous sommes tous des Métis.

(Auteur inconnu)

## 1

## L'ÉCRIVAIN FANTÔME

— J'ai une drôle de nouvelle à t'apprendre, dit Jack.

Il me désignait la chaise droite qui se trouvait entre l'entrée et la cuisinette. Je m'assis sans rien dire. Mon frère, les mains dans le dos, arpentait le séjour. Il m'avait téléphoné : je devais monter chez lui, au douzième, c'était urgent.

Il s'arrêta devant sa bibliothèque et ouvrit son *Petit Larousse.*

— Un « nègre », en littérature, tu sais ce que c'est ?

Tout de suite, il lut la définition du dictionnaire :

« Personne qui prépare ou rédige anonymement, pour quelqu'un qui le signe, un travail littéraire, artistique ou scientifique. »

Puis il se lança dans une explication longue et confuse. Je parvins à comprendre qu'il avait accepté d'être le nègre de quelqu'un.

— Je préfère le mot « fantôme », dis-je.

— Moi aussi.

— Pourquoi as-tu accepté ce travail?

— Je venais de finir mon roman, alors j'étais dans une période creuse. Tu comprends ?

— Bien sûr.

— Mais ce n'est plus le cas.

— Ah non ?

— Non. Tout à coup, il m'est arrivé un nouveau projet de roman.

Mon frère referma son dictionnaire. Il me regardait de biais et je commençais à me douter de ce qui s'en venait.

— Et alors?

— La nouvelle idée est arrivée pendant la nuit. Je ne m'y attendais pas du tout. D'habitude, après un roman, on est complètement vidé. Et, en même temps, on a l'esprit occupé par des mots sans valeur. C'est l'écho de l'histoire qu'on vient de finir. Comprends-tu?

— Mais oui, dis-je, avec un brin d'impatience.

Parfois, on dirait que Jack me traite comme un débile mental parce que je suis son petit frère.

— Dans une période creuse, il faut laisser le temps passer. Un beau jour, on découvre des faiblesses dans le livre qui vient de paraître. On se met à le détester, on veut écrire une meilleure histoire. Un roman qui va jeter tout le monde par terre.

— Tu m'as expliqué ça plusieurs fois, dis-je, essayant de garder mon calme.

— Excuse-moi.

— Où veux-tu en venir, exactement?

— C'est simple. Le projet de roman est arrivé sans prévenir, alors je regrette d'avoir accepté de faire le nègre, je veux dire le fantôme.

— Dis à cette personne que tu n'as pas le temps d'écrire à sa place. Dis-lui que tu dois écrire un roman : c'est la vérité.

— Impossible!

— Pourquoi?

— Le contrat est signé. On était trois : un éditeur, un joueur de hockey et moi.

— Attends un peu... Tu t'es engagé à faire quoi, au juste?

— À écrire la vie du hockeyeur, comme si j'étais dans ses patins.

Surpris, je restai muet dix secondes. Puis je demandai :

— C'est un joueur connu?

— Pour l'instant, il est dans la Ligue américaine, mais il pourrait jouer pour le Grand Club à l'automne.

— Quel poste?
— Gardien de but.
— Tu ne me dis pas son nom?
— Oui, je vais te le dire. Il s'appelle Isidore Dumont. Mais il faut prendre des précautions à cause du contrat, tu saisis?

Comme mon frère tournait le dos à la porte-fenêtre du balcon, son visage était à contre-jour. Je voyais tout de même qu'il avait le front plissé et qu'il se mordait les lèvres.

— Si je comprends bien, dis-je, tu vas me refiler le travail d'écrivain fantôme. C'est ça?
— Oui.
— Es-tu malade? Mon métier, c'est la lecture. Je ne sais pas comment écrire un livre!
— Je vais t'aider.
— Tu vas trop vite. Attends une minute.

Même si je ne suis qu'un petit frère, j'ai appris à me défendre. D'abord, il y avait un tas de questions dans ma tête et il fallait mettre de l'ordre dans tout ça.

— Qu'est-ce qui lui prend, à ce hockeyeur, de vouloir qu'on écrive l'histoire de sa vie? Il a des raisons spéciales?
— La question du français lui tient beaucoup à cœur: il veut que le Grand Club soit composé surtout de joueurs francophones. Il est très agressif envers la direction de la Ligue nationale.
— Pourquoi?
— C'est un Métis. Il est né à Batoche, en Saskatchewan.

Le nom de Batoche me rappelait quelque chose. Jack poursuivit:

— Du moins, c'est ce qu'il raconte sur la première cassette.
— Ah bon? Il y a des cassettes?
— Je ne te l'avais pas dit? Excuse-moi. Il y en a une dizaine.
— Tu as enregistré dix cassettes?
— Oui. Ensuite, le projet de roman est arrivé.

— Alors tu as pensé : je vais téléphoner au petit frère et il va faire le nègre à ma place.

Jack eut un sourire contraint. Il se rendit dans l'entrée, ouvrit le placard et en sortit une boîte en carton qu'il posa sur mes genoux. Elle portait les inscriptions «*Made in Canada*» et «Fragile».

— C'est mon enregistreuse. Elle est vieille, mais elle fonctionne très bien. Les cassettes sont numérotées, tu n'auras aucun problème.

— Mais je te l'ai dit : je ne sais pas écrire !

— Ça s'apprend. Je vais te prêter un livre.

— Quel livre ?

— *Défense du titre*. C'est Hemingway qui parle de l'écriture.

— Très gentil de ta part, dis-je ironiquement.

— En plus, c'est toi qui seras payé.

— C'est vraiment très généreux !

— Et puis la Grande Sauterelle va t'aider.

— Qui ?

— La Grande Sauterelle ! La fille qui a suivi la Piste de l'Oregon avec moi et qui était restée à San Francisco. Elle m'a expliqué au téléphone qu'elle ramenait le vieux Volks à Québec.

— Et alors ?

— C'est une Métisse, elle aussi. Elle est d'accord pour faire un détour par la Saskatchewan.

2

## L'ORCHIDÉE

Ma vie se compliquait.

Jusque-là, mon travail de « lecteur sur demande » m'avait permis de mener une existence paisible, et même distrayante, car les gens avec qui je prenais rendez-vous sortaient parfois de l'ordinaire.

Le seul ennui grave que j'avais connu, en fin de compte, s'était produit deux ans plus tôt. Un matin, en prenant ma douche, je m'étais aperçu qu'il y avait, sur une de mes noisettes – celle de droite – deux ou trois protubérances. Je n'avais pas commencé tout de suite à me faire du souci : il fallait que je rende visite à un homme de trente-cinq ans seulement qui voulait s'enlever la vie parce que sa femme était partie avec les enfants. Je lui lisais *Le voyage d'Eladio*, de monsieur Hubert Mingarelli.

Eladio est un vieillard qui habite une petite maison située derrière celle de son patron, dans une vallée très isolée, quelque part en Amérique centrale. Un midi, il voit arriver une bande de guérilleros. Le chef du groupe s'introduit dans la maison du patron qui est absent et il vole ses bottes parce que les siennes sont trop usées. Eladio s'interpose, proteste, mais on l'assomme avec la crosse d'un fusil. Quand il reprend ses sens, il se met en route pour rattraper les bandits et récupérer les bottes de son patron. Comme il est très vieux, tout devient pénible : marcher en pressant le pas, grimper un coteau, trouver à boire et à manger, dormir à la belle étoile, essayer de se réchauffer. Mais son courage ne fléchit jamais.

En principe, mes séances ne dépassent pas une heure. Lors de ma deuxième visite, je prolongeai ma lecture d'une vingtaine de minutes, espérant de tout mon cœur que l'exemple d'Eladio allait convaincre mon auditeur de renoncer à son sinistre projet. Et la douleur, à l'endroit dont j'ai parlé, était survenue d'un coup, lancinante, au moment où je fermais le livre.

À la Clinique de la Haute-Ville, le médecin me prescrivit une échographie. Cet examen montra la nécessité de faire un prélèvement et il s'ensuivit une période d'attente insupportable, d'opinions contradictoires, de choix déchirants. J'étais comme une feuille morte emportée par un torrent. Ma vie m'échappait.

Je me retrouvai devant un jeune spécialiste qui avait fait des études à l'étranger. Il m'annonça que j'allais subir une orchidectomie.

Je n'avais rien à craindre, disait-il en souriant, parce que l'orchidée était sa fleur préférée. Il me proposa une intervention qui en était encore au stade expérimental. La noisette cancéreuse allait être remplacée par une prothèse de même dimension sur laquelle serait fixée une puce électronique. Il employait soit le mot «puce», soit «stimulateur», soit un autre terme que j'ai oublié. La puce servait à mettre en action les muscles érecteurs. Comment fonctionnait ce mécanisme? Personne ne prit la peine de me l'expliquer. En revanche, on me montra ce que je devais faire pour tout mettre en route. Une psychologue se chargea de me l'enseigner.

Cette femme, qui travaillait de concert avec le spécialiste, m'apprit que mon cerveau était capable d'activer lui-même la puce électronique : il suffisait de le conditionner, comme le chien de Pavlov.

Pour atteindre ce but, on devait tenir compte de mon métier de lecteur. J'appris donc par cœur, dans mes livres, une demi-douzaine de passages érotiques. La psychologue utilisa des méthodes courantes, telles que la persuasion, la répétition, parfois l'hypnotisme. Après quelques mois, ce travail s'avéra très efficace. Dès que je me concentrais sur l'un ou l'autre des textes choisis, le système commençait à fonctionner.

Le résultat pouvait varier de 1 à 5. Par exemple, si je me concentrais sur une des scènes amoureuses qui se passent entre Élisabeth et le docteur Nelson, dans *Kamouraska* de madame Anne Hébert, j'obtenais un numéro 4.

3

## LA GRANDE SAUTERELLE

Je n'avais pas le goût de travailler comme un zouave.

En plus de mes séances de lecture à des personnes que je ne voulais pas abandonner, j'allais être obligé d'écouter les cassettes du hockeyeur en prenant des notes. Je cherchais encore la meilleure façon de mettre par écrit ce qu'elles contenaient.

Un matin, en sortant de la Tour du Faubourg, j'aperçus un vieux «campeur» Volkswagen. Un petit camion bleu et tout déglingué, comme celui dont mon frère Jack m'avait parlé.

Je traversai la rue pour l'examiner.

Il était garé devant le magasin J.A. Moisan. En m'approchant, je vis qu'une fille se trouvait au volant. Elle consultait un carnet d'adresses ou quelque chose de ce genre.

Le Volks était rongé par la rouille. Plusieurs morceaux de tôle neuve avaient été rivetés dans la partie inférieure de la carrosserie. Tandis que je notais ces détails, la porte coulissante s'ouvrit, deux jambes interminables et d'une maigreur extrême apparurent.

La fille descendit sur le trottoir.

— Malgré son âge, il est encore solide, dit-elle, comme si elle parlait de quelqu'un.

Campée devant moi, les poings sur les hanches, le visage osseux, le teint foncé, les yeux noirs et légèrement bridés, elle portait un short très court qui accentuait la longueur de ses jambes. Pas de doute, c'était la Métisse que mon frère avait prise en stop et avec laquelle il avait traversé l'Amérique en suivant la célèbre Piste de l'Oregon.

Je ne pouvais pas m'empêcher de regarder ses jambes.

— On m'appelle la Grande Sauterelle. C'est à cause de ce que vous êtes en train d'examiner.

— Je sais, dis-je. Excusez-moi.

— En langue montagnaise, mon nom est Pitsémine.

— Je pensais que les Montagnais s'appelaient maintenant des Innus…

— Oui, mais j'aime mieux dire «Montagnais».

Elle souriait en penchant la tête sur le côté, et je vis qu'elle avait une longue tresse noire qui devait bien lui descendre jusqu'au milieu du dos.

— Moi, c'est Francis, dis-je, après m'être éclairci la gorge.

— Ah oui? Donc, vous êtes le petit frère de Jack.

— C'est ça.

— Vous demeurez dans le Faubourg?

— Dans la tour qui est juste en face. Jack habite en haut et moi en bas.

— Alors je ne me suis pas trompée d'adresse, conclut-elle en refermant le carnet qu'elle tenait encore à la main.

Elle m'observa très calmement des pieds à la tête, puis s'attarda un long moment sur mon visage; elle cherchait sans doute une ressemblance. J'étais mal à l'aise. Les passants s'arrêtaient pour nous regarder.

— Voulez-vous entrer et vous asseoir un instant?

— Avec plaisir, dis-je.

— Est-ce qu'on pourrait se tutoyer?

— Bien sûr.

Je montai dans le Volks. Elle entra derrière moi et ne ferma pas complètement la porte coulissante: peut-être pour ne pas accroître ma timidité, peut-être simplement pour l'aération. Me faisant signe de prendre place sur la banquette, elle s'installa sur un tabouret en face de moi. Ses genoux touchaient presque les miens. À cause de ses cuisses maigres et de son short trop court, je concentrai mon attention sur les objets qui se trouvaient autour de nous.

Intégrés à un comptoir de cuisine, il y avait du côté gauche un réchaud de camping à deux feux, un évier en zinc avec robinet et une table qui pouvait être démontée. La Grande Sauterelle suivait mon regard.

— Derrière moi, dit-elle, c'est le frigo. Il fonctionne à l'électricité et au gaz. On peut même se contenter de mettre un bloc de glace. Et, tu ne peux pas le voir, mais j'ai un chat. Un vieux chat noir. Il dort dans la boîte à gants.

— Il y a des rideaux à toutes les fenêtres. On se sent comme dans une maison.

— *C'est* une maison. Une petite maison sur roues. Par exemple, la banquette sur laquelle tu es assis, on peut la transformer en lit à deux places. C'est très confortable, veux-tu essayer?

— Merci, je te crois sur parole.

— Quand le toit est levé, on a la possibilité de dormir en haut.

Je me demandai, un court instant, si elle dormait en bas avec mon frère quand ils étaient sur la Piste de l'Oregon, ou bien si elle grimpait à l'étage avec ses longues jambes.

Puis je me rappelai un détail que Jack avait signalé : les livres. Il y en avait partout dans le Volks, d'après lui, et pourtant je n'en voyais aucun.

— Tu cherches quelque chose?

— Oui, les livres.

— Ils sont dans les armoires.

Elle pointa le doigt vers plusieurs panneaux de bois que je n'avais pas remarqués. L'un d'eux se trouvait au-dessus de ma tête. Elle se leva pour l'ouvrir. Son genou frôla le mien pendant qu'elle sortait quelques livres de l'armoire. Elle s'assit à côté de moi sur la banquette et les étala entre nous deux. Je reconnus tout de suite un livre que j'avais vu chez mon frère : *The Oregon Trail Revisited*, de monsieur

Gregory M. Franzwa. La couverture montrait, sous un ciel bleu foncé, les ornières creusées dans la plaine du Nebraska par les wagons bâchés des pionniers qui avaient traversé le continent américain dans les années 1830.

Ce n'était pas le volume qu'ils avaient découvert ensemble à Saint Louis, au début de la Piste de l'Oregon, mais plutôt un exemplaire que Jack lui avait acheté au City Lights Books de San Francisco. Il avait gardé le sien – qui était annoté – pour écrire un roman sur ce qu'ils venaient de vivre.

— Ce jour-là, dit-elle, on s'est rendus à l'aéroport. Jack a pris un avion pour Québec, via Chicago et Montréal. Il avait hâte de commencer la rédaction de son histoire. Moi, je suis restée à San Francisco avec le Volks. C'est une ville où l'on se sent bien quand on n'est pas comme tout le monde.

Au lieu d'expliquer cette phrase, elle se leva et remit les livres dans l'armoire. Ensuite elle resta debout, les yeux dans le vague. Je compris qu'elle avait envie de se reposer. Je voulais lui demander quels documents elle rapportait de Batoche, en Saskatchewan, mais je remis cette question à plus tard. Peut-être qu'elle avait voyagé toute la nuit et que la fatigue venait de s'abattre d'un coup sur ses épaules.

— Je vais te laisser, dis-je en me levant.

Elle fermait les rideaux un à un.

Je descendis du Volks, puis me retournai à moitié. Elle se pencha, m'adressa un sourire très doux et me fit un signe de la main. Personne n'avait des yeux aussi noirs qu'elle, à mon avis, sauf peut-être ma mère.

Avant de m'éloigner, je glissai un peu de monnaie dans son parcomètre : elle avait oublié de le faire. Je remis d'autres pièces au milieu de l'après-midi et en début de soirée.

## 4

## LE PETIT

Le magnétophone de mon frère était un Sony des années 1960.

Pourtant, il se mit en route du premier coup et j'entendis la voix du hockeyeur :

— *Je m'appelle Isidore Dumont et je suis né à Batoche, en Saskatchewan. C'est là qu'ils ont enterré mon grand-oncle, Gabriel Dumont, le fameux Métis qui était le commandant militaire de la rébellion menée par Louis Riel en 1885. Je dis* fameux, *mais...*

Tout de suite, j'appuyai sur *stop*, car j'avais bêtement oublié de prendre le cahier acheté pour la circonstance. Je le trouvai dans un des tiroirs de la cuisine. Ensuite, je remis l'appareil en marche et revins un peu en arrière. Le hockeyeur s'exprimait dans un français de bonne qualité, mais avec le léger accent anglais des gens qui ont vécu longtemps dans l'Ouest.

— *Je dis* fameux, *mais c'est pas vrai. Posez la question à n'importe qui dans la rue, vous allez voir que personne n'a entendu son nom. Tout le monde connaît Louis Riel, qui a été pendu, mais on a oublié Gabriel Dumont.*

Il y eut un court silence, puis j'entendis la voix de Jack. Il demandait au jeune Isidore de lui faire une description de son ancêtre. Sans hésiter, le hockeyeur répondit :

— « *Il avait ce genre de visage fort et bien proportionné qui fait la joie des sculpteurs, avec de hautes pommettes d'Indien, des yeux foncés qui avaient souvent l'expression figée et sombre des gens qui vivent au sein des grands espaces.* »

Il éclata de rire. Je compris qu'il s'agissait d'une citation. Une phrase apprise par cœur. J'aurais dû m'en douter, car le débit de sa voix était devenu monotone, presque automatique. En tant que lecteur public, ce n'est pas le genre de détail qui m'échappe habituellement.

Qui était l'auteur de la phrase? De quel livre venait-elle? J'allais être obligé de répondre à ces questions, alors je les inscrivis dans mon cahier.

Pendant ce temps, le joueur de hockey poursuivait son dialogue avec le vieux Jack. Il disait que, dans sa famille, on parlait très peu de Gabriel Dumont. On le considérait comme un fauteur de troubles. Ses idées révolutionnaires avaient causé la mort de plusieurs personnes. Au bout du compte, il avait subi la défaite et s'était enfui aux États-Unis. On avait honte de lui.

— *Mais vous,* demanda Jack, *vous le considérez comment?*

— *Pour moi, il est le fondateur de la Saskatchewan. C'était un très bon stratège militaire. Il connaissait les tactiques de la guérilla. Si Riel l'avait écouté, les Métis se seraient mieux débrouillés contre l'armée canadienne.*

— *Ils auraient été victorieux?*

— *Je ne dis pas ça, mais ils auraient résisté assez longtemps pour que leurs revendications soient entendues.*

— *C'était quel genre de revendications?*

— *Ils voulaient protéger leurs terres, garder leurs traditions, obtenir des écoles. En somme, ils essayaient de survivre en tant que nation. Exactement comme les Québécois d'aujourd'hui.*

Jack ne releva pas cette dernière phrase. Après une brève pause, le hockeyeur reprit :

— *Je voudrais vous raconter une anecdote.*

— *Allez-y.*

— *Ça se passe quand Gabriel est tout jeune. Il doit avoir onze ans. Le clan des Dumont part en voyage.*

*Toute la famille quitte la Saskatchewan et se rend sur les bords de la rivière Rouge, au Manitoba. Un soir, pendant qu'on prépare le campement, Gabriel est chargé de ramasser du bois pour faire un feu. Il s'éloigne de quelques pas. Tout à coup, il entend un martèlement de sabots. Au lieu de prendre peur et de se cacher dans les buissons, il revient très vite au camp et annonce à son père que les Sioux préparent une attaque contre les Métis. Son père, un colosse, plie sa grande carcasse et colle son oreille au sol. Il dit à Gabriel qu'il n'y a pas de danger : ce ne sont pas les chevaux des Indiens qu'on entend, mais tout simplement un troupeau de bisons.*

Pendant que le joueur de hockey reprenait son souffle, je me demandais si le jeune Gabriel s'était fait reprocher son erreur. Ce fut la question que Jack posa. Merci mon frère.

La réponse me fit plaisir :

— *Au contraire, on l'a félicité parce qu'il avait gardé son sang-froid. Et un de ses oncles l'a récompensé en lui donnant un fusil. C'était son premier fusil et il l'a baptisé* Le Petit.

## 5

## LA CHASSE AU BISON

La Grande Sauterelle tenait à sa liberté.

Elle déclina l'offre que nous lui faisions, mon frère et moi, de partager le grand studio que nous avions loué pour Limoilou à la Tour du Faubourg.

Limoilou était une très jeune fille aux cheveux blonds et courts. Elle avait été adoptée par mon frère et sa traductrice, Marine, après avoir essayé de s'enlever la vie. Pendant quelques mois, elle avait vécu avec Marine dans un chalet de l'île d'Orléans, puis elle s'était installée à la Tour, dans ce studio voisin de mon appartement. Elle se rendait tous les jours à la Maison des Jeunes de la rue Saint-Gabriel, où elle fraternisait avec des filles de son âge.

Une autre possibilité s'offrait à la Grande Sauterelle : la Petite Sœur, qui habitait un vaste logement pour femmes en difficulté, dans la basse-ville, aurait été heureuse de l'héberger.

Elle avait tout refusé.

Comme elle voulait continuer de vivre dans son Volks, nous avons insisté, auprès des responsables de l'immeuble, pour qu'elle ait le droit de garer son véhicule dans le petit stationnement situé en face de la Tour. C'est un simple quadrilatère, un espace à ciel ouvert entre deux immeubles ; il est réservé à des visiteurs de marque, et fermé par une lourde chaîne cadenassée.

La Grande Sauterelle acceptait cependant de venir chez moi ou chez Limoilou, de temps en temps, afin de prendre une douche.

Elle gara son Volks le plus loin possible de la rue Saint-Jean, c'est-à-dire au fond du terrain de stationnement, tout près du talus en pente abrupte qui donnait sur Saint-Gabriel. C'est de ce côté que s'ouvrait la porte coulissante : sans doute voulait-elle inciter son chat noir, Chop Suey, à se diriger vers un endroit où il risquait moins de se faire écraser par les voitures.

Un matin, après avoir écouté des cassettes pendant une heure et demie, je sortis pour aller voir la Grande Sauterelle. J'avais au moins deux idées derrière la tête : vérifier si elle me plaisait toujours autant, et obtenir des documents sur les Métis de Batoche.

J'enjambai la chaîne.

Du côté le plus proche de la rue Saint-Jean, tous les rideaux du Volks étaient tirés. En contournant le véhicule, je vis qu'ils étaient ouverts de l'autre côté, mais il n'y avait personne à l'intérieur ; même le chat n'était pas là. Je pensai que la Grande Sauterelle se trouvait peut-être au parc Berthelot. Après avoir escaladé le talus, moitié rocheux, moitié herbeux, j'empruntai la ruelle des Augustines qui me conduisit sur Saint-Patrick où est situé le petit parc. De loin, je l'aperçus, assise en tailleur devant un arbuste aux fleurs roses que j'appelle toujours, mais peut-être à tort, un cerisier japonais.

Elle était en train de lire.

Je m'approchai, l'air contrit, comme si je regrettais de la déranger, et je m'assis près d'elle, un peu de biais afin que ses longues jambes ne prennent pas toute la place dans mon champ visuel. Elle arracha un brin d'herbe, s'en servit pour marquer la page où elle était rendue, puis me tendit son livre.

Sur la couverture, de couleur orange, on voyait un homme qui avait l'air d'un coureur des bois. Il était costaud, barbu ; il portait un large chapeau et une veste à franges taillée dans une peau de bête. L'air farouche, il serrait un fusil sur son ventre et semblait regarder au loin.

C'était un livre intitulé *Gabriel Dumont. Souvenirs de résistance d'un immortel de l'Ouest*, par Denis Combet et Ismène Toussaint.

Je lus la quatrième de couverture et puis, en ouvrant le volume au hasard, je tombai sur une série de photos. Tout ce que je voyais, les personnages, les lieux, me paraissait familier à cause de ce que j'avais entendu sur les cassettes. Alors je me rappelai que Jack m'avait parlé d'une phrase écrite de sa main dans le Volks, au dos du pare-soleil : « Un mot vaut mille images ». Est-ce que c'étaient les mots ou les images qui avaient le plus de force ? En cet instant, je n'arrivais pas à décider.

La Grande Sauterelle interrompit mes pensées :

— J'ai appris toutes sortes de choses pendant ma visite à Batoche, dit-elle.

— As-tu le goût de me raconter ça ?

Elle ne répondit pas tout de suite. Après avoir jeté un regard sur l'ensemble du parc, qui comprenait un kiosque et quelques jeux pour enfants, elle émit un curieux sifflement sur deux tons. Le chat noir surgit à l'autre bout du terrain, fit quelques pas vers nous. Puis, comprenant peut-être qu'elle voulait seulement vérifier s'il ne s'était pas trop éloigné, il nous tourna le dos et disparut.

— Aimes-tu mieux poser des questions ? demanda-t-elle.

— Je préfère t'écouter.

La Grande Sauterelle ferma les yeux quelques instants. J'en profitai pour regarder ses jambes. Un bref coup d'œil. Ensuite, je m'assis dans l'herbe, les bras croisés sur le livre.

— Les Dumont, commença-t-elle, c'était un clan de Métis francophones, semi-nomades, vivant en Saskatchewan au début du 19e siècle. Ils faisaient la chasse au bison dans les grandes plaines.

Elle s'interrompit.

J'attendis sans bouger.

— À cette époque, poursuivit-elle, les bisons étaient très nombreux dans les plaines de l'Ouest. Les Métis ne travaillaient pas la terre. Ils chassaient le bison pour se nourrir et fabriquer le pemmican qu'ils vendaient ensuite à la Hudson's Bay Company.

— Ils venaient d'où, les Métis?

— D'après certains historiens, ils descendaient des explorateurs français qui s'étaient rendus jusqu'aux Rocheuses et qui avaient épousé des Indiennes.

— Est-ce que les Métis s'entendaient bien avec les Indiens?

— Ils étaient les alliés des Cris et des Assiniboines, et les ennemis des Sioux et des Pieds-Noirs. Mais surtout, ils se considéraient comme une nation distincte des Blancs et des Indiens.

La Grande Sauterelle se tourna vers moi. Elle comprit sans doute que je n'avais plus de questions à poser. Je m'allongeai dans l'herbe rase, les yeux grands ouverts sur l'infini du ciel. C'était vraiment très agréable d'être avec elle.

Reprenant son récit, elle affirma que les Métis étaient des chasseurs très réputés. Quand elle énonça les caractéristiques du bison, je devins très attentif au vocabulaire qu'elle employait, car j'allais être obligé d'utiliser les mêmes mots dans mon texte. «Bêtes massives», «bosse entre les épaules», «collet de fourrure laineuse»: je rangeai ces expressions dans un recoin de mon cerveau.

Cet effort de mémorisation gâcha quelque peu mon plaisir. Lorsqu'elle se mit à raconter la chasse, le malaise ne fit qu'empirer, à cause d'un souvenir qui me revint en tête.

Un été, au chalet, mon père nous avait appris à nous servir d'un fusil. Comment installer la cartouche, appuyer la crosse au creux de l'épaule, viser en se servant de la mire, tirer le chien, presser la détente sans que l'arme ne bouge. Un matin, levé avant tout le monde, j'étais sorti avec le fusil sous le bras. Dans une clairière, brusquement, j'avais vu une perdrix qui se chauffait au soleil. J'avais épaulé et tiré. À mon grand désarroi, la perdrix n'était que blessée. Quand je m'étais approché, me sentant déjà coupable, elle était restée immobile. Elle me regardait et ses yeux ronds semblaient me dire : «Pourquoi? Qu'est-ce que je t'ai fait?»

— Est-ce que ça va? demanda la Grande Sauterelle.

— Ça va très bien, dis-je, pour ne pas embrouiller les choses.

Alors elle expliqua de quelle manière le clan Dumont organisait la chasse au bison dans les plaines de l'Ouest canadien. Cette fille était une Métisse de l'Est, le sang indien qui coulait dans ses veines était celui des Montagnais de la Côte-Nord, et pourtant, rien qu'à l'écouter, j'imaginais facilement le long cortège des charrettes bâchées qui s'éloignaient de la rivière Rouge ou de la Saskatchewan-Sud pour se rendre aux endroits où les éclaireurs avaient signalé la présence des immenses troupeaux. Il y avait entre mille et deux mille voitures, tirées par des bœufs ou par des chevaux. Les femmes, les enfants, et même les chiens faisaient partie de la caravane, qui comprenait aussi les chevaux à demi sauvages dont les Métis allaient se servir pour la chasse. Toute la journée, on entendait les appels du guide de l'expédition, les rires des enfants et le grincement des essieux en bois des charrettes. Celles-ci étaient disposées en cercle, le soir, quand on se trouvait sur le territoire des Sioux, afin de mettre les familles à l'abri des attaques nocturnes.

Pour finir, elle raconta comment les chasseurs s'approchaient lentement du troupeau de bisons et, fonçant sur eux au grand galop, tiraient en tenant leur fusil contre la hanche, puis rechargeaient l'arme avec les balles qu'ils gardaient dans leur bouche.

La Grande Sauterelle avait terminé son récit.

Ma tête était si pleine de bruits et de mouvements, et même d'odeurs, qu'il ne restait plus de place pour le doute : un mot valait bien mille images, comme Jack l'avait noté au dos du pare-soleil.

## 6

## LE VIEUX OUELLETTE

Je n'avais pas encore écrit une phrase.

Vraiment, j'étais un écrivain fantôme. Mon frère avait promis de m'aider et il n'en faisait rien. Je le comprenais : il se trouvait vieux, il avait peur de ne pas avoir le temps de finir son roman, qu'il appelait plaisamment « le chef-d'œuvre immortel de Fenimore Cooper ». En réalité, c'était plutôt nous, la Petite Sœur et moi, et parfois la Grande Sauterelle, qui lui apportions de l'aide, en nous occupant de ses repas, de son ménage et de ses factures.

Quant au livre qu'il m'avait prêté, celui où monsieur Hemingway donnait des conseils sur l'art d'écrire, je découvris très vite en le parcourant qu'il s'adressait aux romanciers. Sauf pour des conseils comme le suivant : « Un livre dont on parle trop est un livre qu'on ne fait plus. »

D'autre part, ma documentation devenait plus riche de jour en jour, sous la forme de volumes, brochures, photos et cassettes.

Ma cassette préférée avait l'allure d'une conversation entre amis : Isidore et Jack parlaient de leur enfance.

— *Pourquoi aimez-vous le hockey?* demandait Jack.

Quelle étrange question ! Est-ce qu'on sait pourquoi l'on aime quelque chose ? Je sympathisais avec le gardien de but. Il commença par bougonner :

— *J'en sais rien. Tout le monde aime le hockey au Canada, non ? Vous n'avez pas joué quand vous étiez jeune ?*

— *Bien sûr,* dit Jack. *Dans mon village, on prenait des grattes et des pelles, et on dégageait un rectangle de glace sur la rivière. Les bandes étaient faites de neige entassée. Pour les buts, on utilisait des bûches ou n'importe quel débris. Quand j'étais tout petit, on avait des patins à deux lames qu'on attachait à nos bottes d'hiver. On se partageait en équipes et on jouait aussi longtemps qu'il restait de la lumière.*

— *Tout le monde jouait en même temps?*

— *Mais oui. Et vous autres, sur la rivière Saskatchewan?*

— *C'était pareil, mais nos patins avaient juste une lame!*

— *Vous étiez heureux?*

La réponse tarda à venir.

— *Le hockey nous emmenait dans un autre monde. On n'était plus des petits gamins de Batoche, on devenait les joueurs qu'on avait vus à la télé: ceux de notre époque ou les anciens, Béliveau, Lafleur, Richard...*

— *Seulement des francophones?*

— *C'était normal. À la maison, on parlait français.*

— *Vous ne parliez pas le* méchif, *le dialecte des Métis?*

— *Voyons, monsieur Waterman! Le* méchif, *c'était dans le temps de mon grand-père!*

— *Excusez-moi.*

Jack s'éclaircit la gorge, puis demanda:

— *Pouvez-vous me décrire votre famille?*

— *Contrairement à mes ancêtres, mes parents étaient cultivateurs. On possédait une terre étroite, mais très longue qui allait jusqu'au bord de la rivière. J'avais trois frères et quatre sœurs. On cultivait du maïs.*

— *Dans les plaines de l'Ouest, le terrain est toujours plat?*

— *Pas toujours. Chez nous, à Batoche, il y avait des collines, des boisés, des saules et des arbustes. Il paraît que les accidents de terrain nous ont aidés à nous défendre contre l'armée du général Middleton en 1885.*

— *Qui vous a dit ça?*

— *Mon père.*

— *Il vous parlait souvent de la révolte des Métis?*

— *Non. Il répondait à mes questions, mais de lui-même il n'en parlait jamais.*

— *Pourquoi?*

— *Les vieux Métis n'étaient pas fiers de la rébellion. Je vous l'ai déjà dit: ils avaient honte.*

— *Honte d'avoir perdu?*

— *Pas vraiment. C'étaient des gens qui aimaient l'ordre et qui respectaient l'autorité. Ils avaient un caractère indépendant, mais ils étaient pacifiques. Pourtant...*

— *Oui?*

— *Pourtant mon père avait les larmes aux yeux et sa voix tremblait quand il parlait du vieux Ouellette. Joseph Ouellette. Il avait quatre-vingt-treize ans. C'était le plus vaillant de tous. Il s'est battu jusqu'au bout. Les Anglais l'ont tué.*

Soudain, la voix du hockeyeur se durcit.

Il dénonça la rudesse de la répression anglaise lors du soulèvement des Métis en Saskatchewan. De plus, il prétendit que son accession à la Grande Ligue avait été retardée du fait qu'il était un Canadien français. Je pris bonne note de cette dernière affirmation, qui me paraissait exagérée.

Éteignant le magnétophone, je me mis à déambuler dans l'appartement sans trop savoir ce que je faisais, puis je m'allongeai sur mon lit. Non pas pour réfléchir, mais bien pour laisser retomber les émotions.

J'étais tout près de m'endormir, quand il me vint une sorte de vision. Ce n'est pas le mot qui convient. Je veux dire que le plan de mon livre m'apparut assez nettement. Non seulement le plan, mais aussi quelques bouts de phrases qui révélaient les idées du hockeyeur sur la place des francophones dans son équipe et le ton agressif avec lequel il parlait des autorités de la Ligue nationale.

Il me sembla nécessaire de faire connaître à l'éditeur de Jack le plan que je me proposais de suivre, ainsi que les idées contestataires du joueur de hockey. Je montai chez mon frère au douzième. Il comprit immédiatement la situation et me permit d'utiliser son ordinateur portatif.

Je rédigeai un courriel que je signai de son nom.

## 7

## L'HOMME QUI RESSEMBLAIT À MAD DOG

Quelques jours après l'envoi du courriel, je remontai chez Jack pour voir s'il y avait une réponse. Mon frère oubliait souvent de relever les messages, électroniques ou postaux, qu'il recevait. Je m'en occupais à sa place, et parfois c'était la Petite Sœur.

Les deux autres filles, Marine et Limoilou, avaient coutume de visiter mon frère de temps en temps, mais elles étaient en vacances aux Îles-de-la-Madeleine depuis plusieurs jours. C'est Marine, l'Irlandaise, qui avait organisé ce voyage afin de récompenser sa jeune protégée des efforts qu'elle faisait pour réapprendre à vivre. En quittant son chalet de l'île d'Orléans, elle avait confié la garde de ses deux chats à une fillette qui habitait à l'angle du chemin de terre et de la route principale.

Au moment où je sortais de l'ascenseur, au douzième étage, je me trouvai nez à nez avec la Petite Sœur. Elle semblait inquiète.

— Qu'est-ce qui se passe?

— Je suis allée porter un velouté de poulet à Jack.

— Et alors?

— En arrivant dans le couloir, j'ai vu un homme qui se tenait devant chez lui.

— Un voisin, probablement.

— Ça m'étonnerait : il est parti très vite. Il a pris l'escalier de secours.

— Il avait l'air de quoi?

— Tu vas rire... Il a refermé la porte et, avant de descendre les marches, il a jeté un coup d'œil par le carreau. Sais-tu à qui il me faisait penser?

— Aucune idée.

— Il était chauve avec un menton carré et une barbe noire. Il ressemblait à un lutteur qu'on voyait à la télé quand on était petits : Mad Dog Vachon. T'en souviens-tu ?

— Oui, je m'en souviens très bien.

J'essayais de ne pas rire, mais c'était difficile.

La Petite Sœur avait toujours son air inquiet. Elle se mit à réfléchir. Dans ce domaine, c'est une championne parce qu'elle ne se laisse pas envahir par les émotions. Tout compte fait, il s'agissait probablement d'un nouveau locataire. Ou bien c'était un employé qui vérifiait quelque chose, par exemple le système de prévention des incendies.

Elle noua ses mains derrière mon cou, m'embrassa et prit l'ascenseur ; elle s'en retournait à la basse-ville.

Je me rendis chez Jack. Comme d'habitude, je tournai ma clef et ouvris la porte sans faire de bruit. Mon frère était allongé sur sa chaise et, de toute évidence, il dormait profondément. Je gagnai la chambre sur la pointe des pieds.

Il y avait une réponse à mon courriel. Elle datait de trois jours.

L'éditeur remerciait Jack et le félicitait pour son travail. Par prudence, toutefois, il allait communiquer avec un de ses amis qui était proche du commissaire de la Grande Ligue. Il voulait lui soumettre discrètement le plan de la biographie et surtout les idées quelque peu subversives du hockeyeur.

Je redescendis chez moi avec des questions plein la tête.

# 8

## UN NUMÉRO CINQ

Chaque fois que je voulais commencer à écrire, la Grande Sauterelle me présentait un nouveau document, que j'étais bien obligé de lire, sur les Métis de l'Ouest, ou sur Gabriel Dumont lui-même.

Par exemple, ce texte de monsieur Montbarbut Du Plessis, intitulé *Histoire de l'Amérique française* :

> « Pendant plusieurs décennies, les Français furent les seuls Blancs à pousser leurs explorations très loin dans l'ouest du continent nord-américain. Ils établirent de solides liens d'amitié avec les tribus indiennes [...]. Cette coexistence entre Blancs et Indiens favorisa le métissage des deux races. À la longue, des « Bois-Brûlés » parlant la langue de leurs pères et portant leur nom, formèrent d'importantes communautés francophones et catholiques. »

Un matin, vers onze heures, incapable de me concentrer sur mon travail, je résolus d'aller voir la Grande Sauterelle et de lui demander combien de textes elle avait encore en réserve. Et puis, c'était plus fort que moi, je voulais savoir comment je pouvais me débrouiller avec une fille aussi libre et séduisante.

Depuis mon « conditionnement » par la psychologue, je m'étais livré à plusieurs tests dans le but de me rassurer. D'abord sans partenaire, un soir de cafard où je me sentais seul au monde. Puis avec une des assistantes de ma psychologue : une petite blonde, très consciencieuse, qui inscrivait cette activité dans la colonne des heures supplémentaires. Ensuite avec une copine de longue date qui voulait me remercier de lui avoir fait la lecture au moment de son divorce. Chaque fois, tout s'était bien passé.

Plus tard, j'avais requis les services d'une professionnelle, à qui dans mon esprit je donnais le nom de péripatéticienne en l'honneur d'Aristote, dont je lisais parfois les textes à des clients. Encore une fois, j'avais connu le succès, mais un peu moins longtemps parce que la fille, à mon avis, faisait semblant d'avoir du plaisir.

Par la suite, l'envie m'était venue, mêlée d'un peu de crainte, de prendre rendez-vous avec Marine, la belle Irlandaise à l'abondante chevelure rousse et au tempérament impétueux, puis je m'étais souvenu qu'elle s'en allait aux Îles avec la jeune Limoilou.

Quand j'arrivai au petit espace de stationnement, ce matin-là, tous les rideaux du Volks étaient fermés, sauf celui du pare-brise, qui donnait sur un mur de pierre. Aucun bruit à l'intérieur. La Grande Sauterelle n'était pas encore levée. C'était une fille indépendante, elle n'en faisait qu'à sa tête, ne respectait aucune règle, n'avait pas d'horaire; il lui arrivait souvent de vivre la nuit.

Déçu et un peu triste, j'allais rentrer chez moi avec mes regrets, quand je vis Chop Suey débouler le talus. Il accourut en émettant le murmure qui me fait toujours penser au mot «bruine», puis il se mit à se frôler contre mes jeans. Il enroula sa queue autour de ma jambe, alors je compris que le vieux chat avait besoin d'aide pour entrer dans le Volks. J'eus une idée: le prenant dans mes bras, je le déposai sur la roue de secours fixée à l'avant du véhicule. Aussitôt il s'étira les pattes et, accrochant un essuie-glace avec ses griffes, il le souleva et le laissa retomber bruyamment sur le pare-brise. Le résultat ne se fit pas attendre. La porte coulissante s'ouvrit de quelques pouces, Chop Suey descendit de son perchoir et s'engouffra dans l'ouverture.

J'étais tout seul dehors.

Soit je rentrais à la Tour en remâchant ma déception, soit je toquais doucement à une fenêtre pour signaler ma présence. Incapable de me décider, je fis mine de m'éloigner en toussotant et en traînant les pieds sur l'asphalte du stationnement. Tout de suite le rideau d'une fenêtre s'ouvrit. J'aperçus le visage bruni de la Grande Sauterelle.

Elle me fit signe d'entrer.

C'était émouvant parce que l'ombre grise de ses rêves se voyait encore autour de ses yeux. Elle portait une robe de nuit en coton bleu pâle. Je refermai la porte en faisant aussi peu de bruit que possible. Elle m'invita d'un geste à m'asseoir au bord du lit. Le rideau était resté entrouvert. J'entendais le chat grignoter ses croquettes au pied du siège avant, côté passager.

Elle se recoucha et ferma les yeux. Je remontai jusqu'à son cou le drap de flanelle qui avait glissé sur ses jambes, sans doute au moment où elle s'était redressée pour m'ouvrir. En faisant ce geste, je frôlai ses genoux du bout des doigts. J'étais troublé par la douceur de sa peau, mais à l'intérieur de moi quelque chose me donnait l'ordre de faire le contraire de ce que je souhaitais. Et, comme un zouave, j'obéissais.

Un petit frère ne doit pas renoncer si facilement. C'est ce que j'étais en train de me dire quand Chop Suey bondit sur le dossier du siège, puis sur le lit. La Grande Sauterelle souleva le drap pour l'inviter à se coucher avec elle. Je louchai vers ses genoux, mais seulement une seconde, le temps de voir le chat se pelotonner au creux de son ventre.

— Les chats aiment bien la chaleur, dis-je sur un ton aussi neutre que possible.

— Tu as envie de venir? demanda-t-elle.

— Je ne pensais pas à ça.

C'était un mensonge.

Elle souleva le drap une deuxième fois. Avant qu'elle ne change d'avis, j'enlevai mes sandales en me servant de la pointe de mes pieds et je m'allongeai près d'elle. Il y avait une odeur d'herbe fraîchement coupée : le chat arrivait du parc de la rue Saint-Patrick.

Nous étions tous deux allongés sur le dos. Elle m'avait laissé la moitié de son oreiller, mais ses cheveux débordaient sur mon côté parce que sa tresse était dénouée. Avec son visage maigre et anguleux, ses yeux noirs comme une nuit sans lune et légèrement bridés, elle était très attirante.

Quel âge avait-elle ? Des ridules sur ses tempes montraient qu'elle était plus âgée que moi. Entre cinq et dix ans de plus.

— Comment va le vieux Jack ? demanda-t-elle.

— Difficile à dire, on ne le voit pas souvent. Il s'enfonce dans son roman.

Je vis du coin de l'œil qu'elle souriait. Après quelques secondes, elle expliqua :

— C'est le verbe « s'enfoncer » que je trouve curieux. On dirait que tu parles d'un homme qui descend dans un puits.

— Un puits de mine, dis-je.

— Une vieille mine abandonnée.

— Il est tout barbouillé de charbon.

— Et il porte un casque avec une lampe frontale.

Chacun de nous renchérissait sur l'autre, et la conversation était entrecoupée de fous rires. Mais, dans nos propos, il n'y avait aucun manque de respect envers mon frère. Du moins, c'est ce que je pense. Je suis un grand psychologue.

C'était à moi de poursuivre :

— Les galeries de la mine sont inclinées. Le vieux Jack s'enfonce de plus en plus avec sa lampe frontale.

— Il fait très sombre et l'air commence à manquer, dit-elle.

— Mais il descend quand même.

— Soudain, il débouche sur une grotte.

— La grotte est petite, mais au moins il peut respirer.

— Et il y a de l'eau partout autour de lui. Il se sent mieux parce que...

— C'est la grotte de son enfance.

La Grande Sauterelle me fit un sourire lumineux qui creusa des rides en étoile autour de sa bouche. Je devinai que mon frère et elle, au cours de leur très long voyage sur la Piste de l'Oregon, avaient eu plusieurs conversations sur le travail de l'écrivain.

Pendant que je réfléchissais, elle ferma les yeux. Peut-être qu'elle avait passé une partie de la nuit dehors et qu'elle manquait de sommeil. Sa respiration devenait plus profonde. Est-ce que le moment n'était pas venu de vérifier si le stimulateur produisait toujours son effet? Fermant les yeux à mon tour, je me préparais à me concentrer sur un texte, comme la psychologue me l'avait enseigné, quand la Grande Sauterelle me tourna brusquement le dos.

— Je vais dormir encore quinze minutes, si ça ne t'ennuie pas.

Elle souleva le drap pour permettre au chat de reprendre sa place au creux de son ventre.

— Tu peux rester, dit-elle d'une voix déjà ensommeillée, mais il y a une chose que j'aimerais bien.

— Quoi? demandai-je, un peu craintivement.

— Je dormirais beaucoup mieux si tu voulais bien te mettre tout contre moi. C'est ce que Jack faisait autrefois. Pas au début du voyage, mais à la fin.

— Bien sûr.

Ne respirant presque plus, je m'approchai d'elle, tout près. Comme elle avait les jambes repliées, je fléchis mes genoux et les poussai au creux des siens. Elle me demanda de passer mon bras autour de sa taille et c'est ce que je fis. Je l'entendis soupirer, puis son souffle devint plus régulier. Elle était sur le point de s'endormir. Je me posais une question : étant collé contre elle, comment faire pour vérifier si mon système fonctionnait normalement? À cet instant, elle se mit à bouger et déclara que mon jean lui faisait mal au bas du dos, à travers sa robe de nuit.

— Je peux l'enlever si tu veux, proposai-je.

— Ce n'est pas nécessaire, dit-elle, mais est-ce que tu aurais la gentillesse de te tourner de l'autre côté?

— Bien sûr.

Je fis ce qu'elle demandait. Loin d'être déçu, j'étais soulagé. C'était enfin l'occasion de me concentrer sur un texte. Pendant ce temps, la Grande Sauterelle s'endormit. Par moments, son corps était agité de soubresauts: elle rêvait. Le ronronnement du vieux chat noir s'était éteint. On entendait le bruit de la circulation dans la rue Saint-Jean.

Je me sentais bien et j'avais le goût de prendre mon temps. La Grande Sauterelle me séduisait non seulement par son physique, mais aussi par son mystère. En plus, elle avait un sens aigu de la liberté à cause de ses origines indiennes.

Je choisis un texte de monsieur Saint-John Perse. Les mots défilaient comme sur un écran. Ils avaient une grande puissance d'évocation, et je les aimais tous, mais ceux qui me touchaient le plus, ceux qui me faisaient vibrer, ceux qui résonnaient dans mon cœur et dans mon ventre, étaient les suivants:

> «Ton corps, ô chair royale, mûrit les signes de l'Été de mer: taché de lune, de lunules, ponctué de fauve et de vin pourpre et passé comme sable au crible des laveurs d'or...»

Et plus loin:

> «De la nuque à l'aisselle, à la saignée des jambes, et de la cuisse interne à l'ocre des chevilles, je chercherai, front bas, le chiffre occulte de ta naissance...»

On aurait dit que les mots du poète faisaient couler du sang neuf dans mes veines. À mon grand plaisir, tout allait bien. Je glissai discrètement une main dans mon jean pour libérer un peu d'espace.

J'avais un numéro 5.

Le maximum que je pouvais obtenir.

Très fier de moi, et sachant que je disposais d'une vingtaine de minutes, peut-être même d'une demi-heure, je m'offris le luxe de réfléchir à tout ce que je pouvais faire.

La Grande Sauterelle dormait profondément. J'entendais le bruit régulier de sa respiration, sauf quand un gros camion ou un bus descendait la rue Saint-Jean. Le vieux Chop Suey était silencieux. J'avais très envie d'utiliser le numéro 5. Ce n'était pas bien difficile : je me retournais, je me collais à son dos, juste assez pour qu'elle se rende compte de la situation ; je lui murmurais des mots doux à l'oreille, elle se tournait vers moi et ouvrait ses yeux tout embrumés, je l'embrassais à petits coups ; je caressais son visage avec mes mains, m'attardant à ses pommettes, puis je descendais vers ses épaules, et ensuite ses yeux me disaient si je pouvais ou non aller plus bas : imposer ma volonté, ce n'est pas vraiment mon genre.

Elle dormait toujours.

J'attendis une quinzaine de minutes.

Le numéro 5 tenait le coup. Je regardai ma montre et j'attendis encore deux minutes. Alors, lentement et par étapes, je me retournai vers elle. Le cœur battant, je remis mes genoux au creux des siens et j'appuyai assez fortement mon ventre contre le bas de son dos.

Elle n'eut aucune réaction.

Les petits frères sont parfois déçus, mais ne se découragent jamais. Pour moi, ce n'était que partie remise. Je me glissai hors du lit, je sortis du Volks et refermai la porte coulissante le plus doucement possible.

En rentrant à la Tour du Faubourg pour me plonger dans mon livre, je me rappelai ce que monsieur Hemingway avait dit à un ami : « Le travail est la seule chose qui fasse qu'on se sente toujours bien. »

## 9

## LE STYLE DU GARDIEN DE BUT

Un matin, en ouvrant la boîte aux lettres de Jack, au rez-de-chaussée de notre immeuble, je découvris un avis signé par le facteur. Il y avait un colis pour mon frère au bureau de poste.

Je me rendis à la pharmacie, au coin de Sainte-Geneviève, où est installé le comptoir postal du Faubourg. Comme elle savait que je m'occupais du courrier de Jack, la postière me remit le colis sans faire de difficultés. De retour chez moi, je vis qu'il contenait des vidéos que l'éditeur de mon frère avait obtenues du secrétariat de la Ligue nationale. Ces documents montraient le gardien de but en action au cours des principales étapes de sa jeune carrière : le hockey junior de l'Ouest et les Ligues américaine et nationale.

Les vidéos étaient un bon complément aux enregistrements audio fournis par mon frère : je le compris dès le premier visionnement.

Isidore Dumont avait un style peu orthodoxe et très spectaculaire. Les autres gardiens, qui mesuraient plus de six pieds, pratiquaient le «papillon», c'est-à-dire qu'ils se jetaient à genoux en plaçant les jambières sur une ligne aussi droite que possible. De cette façon, ils bloquaient les lancers déviés et, en même temps, à cause de leur grande taille, ils couvraient beaucoup d'espace dans la partie supérieure du filet.

Avec ses 5 pieds 10 pouces, Isidore se comportait tout autrement. Lorsqu'un adversaire se dirigeait vers lui avec la rondelle, et que les ailiers étaient bien surveillés, il quittait son rectangle et s'avançait vers l'attaquant pour diminuer l'angle de tir. Parfois même, il fonçait carrément sur le joueur et lui faisait perdre la rondelle en allongeant son bâton Sherwood.

Et il excellait contre les lancers de près. Il se déplaçait d'un poteau des buts à l'autre avec une rapidité qui surprenait chez un homme de son gabarit. La plupart du temps il restait debout, mais au besoin il pouvait s'étendre sur la glace pour immobiliser la rondelle, la capter avec sa grosse mitaine, ou la bloquer en levant très haut une de ses jambières.

Son agilité, ses improvisations, avaient quelque chose en commun, me semblait-il, avec le style de combat que son ancêtre, Gabriel Dumont, pratiquait le plus volontiers : la guérilla.

Réflexion faite, cette comparaison était ridicule. J'abandonnai le visionnement des vidéos reçues par la poste et je revins aux cassettes que le hockeyeur avait enregistrées en compagnie de mon frère. Le gardien de but racontait, avec parfois des tremblements dans la voix, qu'il avait quitté son village après la « petite école » et s'était installé chez un oncle, à Saskatoon, pour entreprendre le cours secondaire. C'est dans cette ville que, pour la première fois, il avait fait partie d'une équipe organisée.

Pressé de questions par Jack, il se souvenait d'une foule de détails : il s'ennuyait de ses parents, même si la ville n'était qu'à une petite heure de Batoche ; il admirait son *coach*, qui l'initiait aux aspects techniques du hockey ; il aimait tout ce qui se passait sur la patinoire, notamment les sons qui accompagnaient le jeu, comme le crissement des lames de patin sur la glace, le claquement de la rondelle sur la palette des bâtons et sur les bandes en bois ; il aimait la camaraderie qui régnait dans le vestiaire. Mais parfois ses coéquipiers le traitaient de *frog* à cause de son accent ; il répliquait en les qualifiant de *square heads* et il avait du mal à contenir son caractère rebelle.

En ma qualité de fantôme, je me demandais ce que j'allais faire de tous ces renseignements. Est-ce que je ne risquais pas d'ennuyer le lecteur?

Je pris des notes et remis la cassette en route. Le gardien de but parlait du repêchage des juniors. À dix-huit ans, il avait été choisi par le Grand Club. Jamais il n'aurait osé croire que cette équipe, une des plus anciennes d'Amérique du Nord, qui avait une longue tradition de joueurs exceptionnellement doués, pouvait un jour s'intéresser à lui. En réalité, il en rêvait, comme tous les francophones du pays, mais son rêve lui semblait irréalisable parce qu'il n'avait jamais quitté les Plaines. En tant que petit frère, je comprenais ses doutes et ses espoirs.

Quelques mois après le repêchage, Isidore fut invité par la direction du Grand Club à un camp d'entraînement des jeunes recrues. Il prit le train à Saskatoon pour se rendre à Montréal et on le conduisit à Brossard, sur la Rive-Sud, où l'équipe disposait d'un complexe sportif. Lui qui n'avait pas connu de ville plus importante que Regina, il s'attira des railleries tout au long du trajet parce qu'il avait les yeux ronds et la bouche ouverte.

Quand il retourna dans l'Ouest pour terminer son apprentissage avec les Blades de Saskatoon, Isidore savait ce qu'il devait faire pour s'améliorer. Son avenir se dessinait ainsi : deux ans plus tard, si tout se passait bien, il allait accéder au hockey professionnel, dans l'Est, en gardant les buts des Bulldogs de Hamilton, l'équipe de la Ligue américaine qui était affiliée au Grand Club.

Jack le remercia pour tous ces renseignements.

La cassette s'arrêta.

J'avais noté un grand nombre de détails, mais il y avait deux problèmes que j'étais incapable de résoudre pour l'instant. Comment rendre compte de l'énergie que je sentais dans la voix du joueur de hockey? Et comment faire en sorte que le récit du gardien de but suscite de l'intérêt chez le lecteur?

Décidément, je pensais beaucoup au lecteur. Quel genre de personne allait se procurer mon livre?

Je fis un effort pour me représenter cette personne. Si j'arrivais à distinguer les traits de son visage, peut-être que la rédaction allait venir plus facilement. Je fermai les yeux, mais la seule image qui s'installa dans ma tête fut celle que je voyais à la télé, les soirs où les matchs du Grand Club étaient diffusés : une foule anonyme qui suivait le jeu avec attention et se levait d'un bloc pour applaudir un exploit.

Il me fut impossible d'isoler un visage de cette foule. Ni même d'en inventer un.

## 10

## LA LIBRAIRIE ET LE CIMETIÈRE

De temps en temps, nous accomplissions un exploit, la Petite Sœur et moi : nous arrivions à persuader le vieux Jack de laisser son roman pour venir prendre l'air avec nous.

Il mettait ses verres fumés, calait son *bob* jusqu'aux oreilles et, se plaçant entre nous deux, il descendait la rue Saint-Jean sur le trottoir de droite, moins fréquenté. Son pas était hésitant, alors nous le serrions de près, et parfois la Petite Sœur lui tenait le bras. Il marmonnait qu'il n'avait pas besoin d'aide et nous assenait des coups de coude. Ensemble, nous franchissions en deux étapes la très venteuse autoroute Dufferin.

Nous passions sous la porte Saint-Jean et poursuivions notre route à peu près jusque chez Archambault. Tout à coup, le cœur me manquait : mon frère traversait la rue sans prévenir, obligeant les autos à freiner au dernier moment. Il voulait regarder les livres exposés en vitrine à la librairie Pantoute.

Tout en examinant les titres, il louchait vers l'intérieur du magasin pour essayer de voir si, parmi les vendeurs ou les clients, il y avait des gens qui pouvaient le reconnaître. Quand la voie était libre, nous entrions tous les trois. Il faisait le tour des îlots de nouveautés, s'arrêtant ici et là pour prendre le livre d'un auteur connu. Il lisait toujours la première phrase. Nous regardions par-dessus son épaule, la Petite Sœur et moi, et l'un de nous deux ne résistait pas à l'envie de lui demander à voix basse s'il avait enfin trouvé «le chef-d'œuvre immortel de Fenimore Cooper».

Un vendredi de juin, en fin d'après-midi, il refusa d'aller plus loin que le cimetière de l'église St. Matthew qui avait été converti en parc. C'est là qu'il avait connu Marine, sa traductrice, dont la devise était: «En cas de doute, fonce tête baissée.»

En franchissant le portail, je vis que Jack avait l'air absent. Instinctivement, je lui tendis la main. Avec sa barbe hirsute, son chapeau cabossé, son bermuda kaki, ses jambes maigres et velues, il me faisait penser à un explorateur anglais qui s'était égaré dans la jungle africaine et qu'on avait retrouvé, des années plus tard, en le saluant par une phrase devenue célèbre: *«Dr. Livingstone, I presume?»*

Sans s'occuper de moi, Jack fit un crochet pour s'approcher de la *Liseuse*, une sculpture de bronze qui représentait une jeune fille assise en tailleur et penchée sur un livre. Mon frère lui caressa la joue, puis se dirigea lentement vers son endroit préféré, qui correspondait à l'angle des rues Saint-Augustin et Saint-Joachim.

Il se laissa choir sur une caisse en gros plastique de couleur bourgogne qui était appuyée au mur de pierre. La Petite Sœur s'accroupit dans l'herbe à côté de lui. Je restai debout, interdit, car je venais d'apercevoir, assis sur un banc au fond du cimetière, le visage à moitié caché derrière un journal, nul autre que Mad Dog. J'avais bien vu son crâne nu comme une fesse et la barbe noire qui encadrait son menton carré.

Je me plaçai devant mon frère pour éviter qu'il n'aperçoive cet étrange personnage et ne se pose des questions à son sujet.

Le dos bien calé contre le mur, Jack allongea ses jambes. Je pouvais deviner ce qui se passait dans sa tête. Il était assis près de la dalle funéraire où Marine lui avait dit que sa grand-mère, morte du typhus, avait été ensevelie, et où la traductrice avait creusé un trou, pendant la nuit, pour enfouir les cendres de sa mère.

On voyait bien que mon frère pensait à la mort : son visage sérieux, assombri par l'ombre des grands ormes et des érables, me le confirmait.

La mort était l'obsession de Jack. Il croyait qu'il avait une maladie grave et que seule l'écriture d'un roman lui permettait de retarder l'échéance. Tant qu'il écrivait, il mettait une distance entre lui et la mort. Voilà peut-être la véritable raison pour laquelle il s'était empressé de me refiler l'autobiographie du joueur de hockey.

Des mésanges à tête noire, énervées par notre présence, faisaient entendre leur tchikadi-di-di tout près de nous. Mon frère sortit de sa rêverie morose.

— As-tu des nouvelles de Marine et de Limoilou? demanda-t-il.

— J'ai reçu une carte postale, dis-je. Il fait un peu frais aux Îles et le temps est venteux, mais elles vont très bien. Elles sont installées non loin d'un endroit qui s'appelle Pointe-aux-Loups. Et Marine veut savoir comment tu te débrouilles avec ton travail de nègre.

Il me regarda, l'air soupçonneux.

— Mais non, je n'ai pas révélé notre secret. Me prends-tu pour un fou? Il y a seulement la Petite Sœur et la Grande Sauterelle qui sont au courant. Mais je peux le dire à Marine, si tu préfères.

— J'aime mieux pas. Si tu le dis à Marine, on est sûrs que Limoilou finira par le savoir. Et, avec les gens qu'elle connaît, on risque d'avoir des ennuis. D'ailleurs, je me demande si les ennuis ne sont pas déjà commencés…

— Qu'est-ce que tu veux dire?

— Je te parle du bonhomme qui est assis là-bas. Le bonhomme que tu m'empêches de voir en te plaçant entre nous deux. Celui qui se cache derrière le journal. Il me semble que je l'ai déjà vu dans notre immeuble.

Je commençais à m'inquiéter.

— Peut-être que je me trompe, dit-il. Ce doit être un maudit journaliste.

— Tu as probablement raison, dis-je.

À ce moment-là, une idée prit forme dans ma tête. Je ne peux pas me vanter d'avoir l'esprit logique, mais il m'apparut que plusieurs faits récents devaient être liés les uns aux autres. D'abord, le courriel que j'avais envoyé à l'éditeur pour l'informer des idées du gardien de but concernant le nombre de joueurs francophones dans le Grand Club. Ensuite, la réponse de l'éditeur qui avait l'intention, par l'intermédiaire d'un ami, de faire connaître l'aspect tendancieux de l'autobiographie au commissaire anglophone de la Ligue nationale. Enfin, l'arrivée de Mad Dog, qui semblait rôder autour de mon frère.

La conclusion s'imposait d'elle-même : le dénommé Mad Dog avait été engagé par la direction de la Grande Ligue pour exercer, auprès de Jack, un genre de surveillance ou quelque chose de plus radical.

Le silence se prolongeait.

Mal à l'aise, je lançai brusquement :

— Et si on allait lui casser la gueule, à ce bonhomme ?

Je disais ça pour épater la Petite Sœur, mais voilà qu'elle serrait les poings et affichait un air farouche.

— Allons-y ! dit-elle.

Je ne pouvais plus reculer, même si ce n'est pas vraiment mon style de casser la gueule aux gens. Nous regardâmes ensemble vers l'endroit où il tentait de dissimuler son visage, et… bon Dieu, il n'était plus là !

Pour éviter qu'il nous échappe, ma sœur me fit signe de prendre à gauche tandis qu'elle faisait un détour par la droite. Nous nous rejoignîmes devant le banc sur lequel il s'était assis. Nous ne l'avions pas vu, il n'était nulle part. Et il ne pouvait s'être dissimulé derrière le tronc d'un gros arbre : l'un de nous l'aurait aperçu puisque nous étions venus chacun de notre côté.

Mad Dog avait sans doute filé vers la sortie pendant que nous discutions avec mon frère. Ou encore, à la manière du lutteur dont il était le sosie, il avait prestement sauté la clôture de fer forgé et s'était enfui à toutes jambes. Nous retournâmes alors vers Jack, que nous avions trop vite abandonné.

## 11

## LA RIVIÈRE CHAUDIÈRE

Un matin, sans raison apparente, l'inspiration fit défaut à mon frère Jack. Pourtant, il n'avait rien changé à son rituel. Il s'était levé à sept heures. Un comprimé de multivitamines en buvant son jus de pommes ; un bol de céréales Nature's Path à haute teneur en fibres ; un substitut de café Bambu avec une pincée de chocolat noir en poudre. À huit heures juste, il avait posé sa tasse sur la planche à repasser, surmontée d'une boîte à pain, qui constituait sa table de travail.

Comme d'habitude, il écrivait debout, dans un coin de sa chambre, à côté de la fenêtre. Il avait complété la phrase laissée en plan la veille. Mais ensuite, rien n'était venu. Blocage complet.

C'était si grave que Jack nous téléphona pour expliquer ce qui se passait. Alarmés par sa voix éteinte, l'idée nous vint, la Petite Sœur et moi, qu'un aller-retour en Beauce pouvait lui permettre de retrouver ses racines et, du même coup, la source de son écriture. Et si nous faisions ce déplacement dans le vieux camion, peut-être allait-il ressentir les émotions qui avaient donné naissance à plusieurs de ses livres.

Une autre raison, que je gardai pour moi, justifiait notre initiative : il valait mieux éloigner mon frère de la menace que Mad Dog représentait pour lui.

La Grande Sauterelle était heureuse de reprendre la route. Elle arborait un sourire d'une oreille à l'autre. Quand nous partîmes du stationnement, Chop Suey quitta la boîte à gants et se jucha à côté de ma tête ; j'avais choisi le siège du passager pour avoir une meilleure vue sur les jambes de la conductrice. Jack était installé sur sa chaise Lafuma. Celle-ci occupait tout l'espace central et son dossier s'inclinait au-dessus de la banquette arrière, où se trouvait la Petite Sœur.

Nous étions comme des enfants qui partent en vacances.

Avant le départ, j'avais téléphoné à la fillette qui s'occupait des chats en l'absence de Marine, au chalet de l'île d'Orléans. Elle m'avait dit de ne pas m'inquiéter : il restait encore la moitié d'un gros sac de nourriture. En plus, avec l'aide d'un voisin, elle avait réussi à faire descendre son « pépé » en fauteuil roulant jusqu'au bas de la côte abrupte ; pendant tout un après-midi, installé dans le solarium, il s'était servi des jumelles pour observer les chevreuils, les renards, les ratons laveurs, les rats musqués, les hérons et les diverses espèces d'oiseaux qui vivaient autour de l'étang.

Le voyage s'annonçait bien.

Jack n'avait pas visité la Beauce depuis la tournée en Gaspésie qui lui avait permis de faire la connaissance de la Grande Sauterelle et de partir ensuite avec elle à la recherche de notre frère Théo sur la Piste de l'Oregon. Plus tard, quand il avait parlé de son village natal dans ses romans, il avait situé ce dernier dans les Cantons de l'Est, ne voulant pas courir le risque de froisser ses amis d'enfance.

Sur le Chemin Saint-Louis, près de l'échangeur, la Grande Sauterelle prit la route du vieux pont de Québec, car elle le trouvait plus beau que celui qu'on avait baptisé Pierre-Laporte. Elle était visiblement si contente de conduire que je n'osai pas lui offrir de la relayer au volant.

Mon frère s'agitait sur sa chaise longue. Il se redressait à tout bout de champ parce que les collines de la Beauce lui rappelaient une région de la France où il avait vécu plusieurs années.

— C'était dans la vallée de l'Isère, dit-il, non loin de l'endroit où cette rivière se jette dans le Rhône.

De le voir bien éveillé, lui qui avait paru si déprimé au matin, cela me réjouissait. Aussitôt qu'il avait l'air de rentrer en lui-même, je posais n'importe quelle question.

— Tu veux dire que l'Isère ressemble à la rivière Chaudière?

— Mais non, pas du tout!

— Comment ça?

— L'Isère vient des Alpes, elle est plus étroite et ses eaux vert pâle sont rapides, tandis que la Chaudière...

Il montra du doigt la rivière qui coulait paisiblement à notre droite. Nous étions déjà rendus à Vallée-Jonction. La Petite Sœur insista pour que la Grande Sauterelle ne roule pas trop vite.

— La région où j'ai vécu, reprit Jack, n'était pas située dans le département de l'Isère, mais plutôt dans la Drôme. Les collines allaient dans tous les sens et elles étaient sillonnées de routes très étroites, ce qui n'empêchait pas les autos de filer à toute allure.

— Tu t'étais installé quelque part?

— Non, je me promenais. J'avais un vieux «campeur», un Volks encore plus âgé que celui-ci et peut-être même plus âgé que moi.

La Grande Sauterelle et la Petite Sœur firent entendre des protestations d'une même voix. Il y eut un long silence. Jack n'avait pas l'habitude de parler si longtemps. Pour le relancer, je lui demandai ce qu'il faisait exactement dans cette région, au lieu de descendre vers la Méditerranée, par exemple.

— C'était un bon coin pour écrire, dit-il. Je me garais n'importe où et je travaillais. J'écrivais un roman dont l'action se situait à Paris, et j'avançais un peu chaque jour. En plus, j'ai rencontré un couple de jongleurs québécois qui vivait dans un camion Citroën avec deux chiens. Quand ils prenaient congé, ils s'arrêtaient à côté d'une maison en pierre, chez des amis qui connaissaient notre pays. Je suis allé les rejoindre parce que dans cette maison, d'après eux, il y avait une femme qui... Enfin, ils disaient que cette femme et moi, on était faits l'un pour l'autre, comme des âmes sœurs, des jumeaux... Voilà, c'est tout.

De toute évidence, c'était une histoire de cœur, une histoire laissée en suspens, et on ne devait pas compter sur lui pour donner des détails sur des gens qui vivaient encore. En me retournant, je pouvais voir qu'il se désintéressait du paysage et qu'il fermait les yeux de temps en temps. Je comprenais ce qui se passait dans sa tête. Pour ma part, je me sentais de plus en plus attiré par la Grande Sauterelle et j'étais heureux d'être à ses côtés.

Ma sœur eut une idée : à Saint-Georges, elle proposa de se rendre jusqu'à l'ancien Petit Séminaire. Jack se redressa pour mieux voir l'immeuble massif, en pierres grises, surmonté d'une croix, où il avait été pensionnaire durant son cours classique.

— C'était comment, le pensionnat? demanda la Grande Sauterelle.

— Un milieu anormal, dit-il. Uniquement des garçons. Une discipline rigoureuse. Des curés nuls en pédagogie. J'ai décidé, par conséquent, de faire le contraire de ce qu'on me demandait, et j'ai multiplié les frasques. C'était une réaction instinctive, comme lorsqu'il s'agit de sauver sa peau.

Mon frère énuméra quelques-unes de ses « frasques » : lire tous les livres interdits ; descendre en ville pour aller voir les filles ou fréquenter les tavernes ; faire rouler des billes de verre dans les longues allées des salles d'étude ; vider la cave à vin des prêtres. Puis, à la surprise générale, il déclara que le pensionnat lui avait tout de même appris une chose qui lui avait rendu service pendant toute sa vie.

— Laquelle? demanda la Petite Sœur.

— La désobéissance, dit-il.

J'attendais une explication, mais il se tut jusqu'au moment où, ayant continué de suivre la rivière Chaudière en sortant de Saint-Georges, puis ayant laissé derrière nous Saint-Martin, nous arrivâmes à notre village natal.

Jack redressa sa chaise pour mieux voir ce qui avait changé. Nous savions déjà qu'il existait une nouvelle route menant à une grosse usine de montage de poutrelles en acier. Quant à la rue principale, elle virait doucement à gauche, comme autrefois, mais nous ne reconnaissions plus les maisons. Impossible de retrouver celle où nous allions faire réparer la vieille radio à lampes incandescentes. Ni celle où notre père était allé, trois ou quatre fois dans la même journée, prendre des nouvelles d'une petite fille qu'il avait frôlée, à peine, avec le pare-chocs de sa Buick, quand elle avait traversé la rue sans regarder. Ni celle du barbier-restaurateur qui, pour nous couper les cheveux, nous faisait asseoir sur une planchette qu'il posait sur les appuie-bras, parce que nous n'étions pas assez grands.

Plus loin, passé l'hôtel et juste en face de l'ancienne boucherie où les cris des cochons égorgés nous faisaient si peur, je demandai à la Grande Sauterelle de monter la côte qui se trouvait à notre gauche. J'avais le cœur serré et je suppose que c'était la même chose pour mon frère et ma sœur.

Nous savions tous que le magasin général de notre enfance avait été converti en maison privée, mais lorsque nous atteignîmes le sommet de la pente, j'eus le souffle coupé : le bâtiment lui-même avait été rasé et, à sa place, il y avait un bungalow traditionnel. C'est à peine s'il restait un petit terrain vague à l'endroit où s'étendait la cour dans laquelle nous avions le droit de jouer à condition de ne pas abîmer les rosiers de ma mère.

Je louchai vers Jack. Il avait blêmi, mais je fus surpris de voir qu'il n'était pas dévasté. Une lueur inattendue s'alluma dans ses yeux. Il déclara qu'il voulait essayer de retrouver la maison de sa première blonde. D'un geste large, il nous indiqua la direction à suivre : la route où se situaient autrefois le bureau de poste, le ferblantier et le cordonnier, puis il nous fit prendre la première rue à droite. La maison devait se trouver tout près, du côté gauche.

La Grande Sauterelle conduisait très lentement.

Jack quitta sa chaise et, un genou par terre, s'accouda à l'évier du Volks. Le nez collé à la fenêtre, il examinait chacune des maisons. Sur les vérandas ou derrière les rideaux de mousseline, des gens semblaient nous observer. J'étais inquiet.

Soudain, il mit une main sur l'épaule de la conductrice. Elle stoppa le Volks. Il considérait avec attention les détails d'une façade. Au bout de quelques minutes, il dit qu'il avait beau regarder l'escalier, la porte d'entrée, les fenêtres, rien de ce qu'il voyait ne lui rappelait le moindre souvenir. D'une voix morne, il ajouta que la mémoire lui faisait défaut.

Pour le réconforter, je lui demandai de quoi la fille avait l'air. Alors il s'anima. Elle avait dix-sept ans, les cheveux courts et noirs, les yeux brun foncé, le visage doux et plutôt rond, elle était mince, vive, rieuse, très jolie...

Il s'arrêta net.

Une lumière, qui partait de ses yeux, éclairait son visage ridé. Je crus deviner ce qui se passait : il avait résolu d'inclure ses souvenirs amoureux dans l'histoire qu'il était en train d'écrire, et cette idée allait probablement relancer son roman.

La Grande Sauterelle remit le Volks en marche et, peu de temps après, nous prîmes le chemin du retour. Bien allongé sur sa chaise, Jack avait l'air calme et confiant. J'en profitai pour lui poser les questions qui me tracassaient depuis qu'il m'avait refilé le travail d'écrivain fantôme.

Mes questions arrivaient en désordre, mais je ne pouvais pas faire autrement.

— Puisque c'est une autobiographie, il faut que j'écrive au « je », n'est-ce pas?

— Évidemment! Mais n'oublie pas que tu as de la chance. Hemingway l'a dit : « Rien n'est plus simple que d'écrire une histoire à la première personne. »

— Ça me rassure. Merci beaucoup!

— Pas de quoi!

— Est-ce que j'ai le droit d'inventer des choses?

— Oui, mais seulement des détails. Par exemple, le soleil qui brille le jour où le gardien de but est repêché par le Grand Club. Ou encore, le beau rêve qu'il fait la nuit suivante. Même s'ils sont inventés, les détails rendent ton récit plus vraisemblable et plus chaleureux.

— En somme, plus je mens, plus je deviens crédible...

Jack haussa les épaules.

— C'est un des mystères de l'écriture.

— Autre problème : si le joueur de hockey s'exprime en joual, est-ce qu'il faut transcrire fidèlement ses propos ou les adapter?

— Il faut les adapter. Le joual, quand on le met par écrit, est difficile à lire. Pourquoi compliquer la vie du lecteur?

— Encore une question... Est-ce que je dois raconter tous les faits dans l'ordre où ils se sont produits? Je veux dire, commencer avec la naissance et...

— Ça s'appelle un récit linéaire.

— Merci!

— Le mieux, c'est de commencer par un événement très important. Quelque chose de sensationnel et d'émouvant qui te permet d'accrocher le lecteur. Tu reviens ensuite au récit linéaire et tu le gardes jusqu'à la fin de ton premier brouillon. Après, tu peux découper ton récit et faire une sorte de montage.

— Es-tu sérieux?

— Mais oui. Et tu n'oublies pas d'ajouter des photos, des dessins, toutes sortes d'illustrations, même si un mot vaut mille images.

À mon avis, le vieux Jack insistait trop sur des points de détail, mais il avait raison de parler des photos : j'avais oublié de les demander à la Grande Sauterelle.

Il se tut quelques instants, puis ajouta :

— L'écriture, ça ressemble souvent à du bricolage.

— Tu n'aimes pas ton métier d'écrivain ?

— C'est le contraire ! J'aime mon métier, mais les résultats ne sont pas à la hauteur de mes espérances. Un livre, surtout un roman, c'est comme un planeur qui vole dans le ciel. Parfois il trouve des courants ascendants qui l'aident à remonter, mais le pilote sait très bien que son appareil va finir par descendre en tournoyant vers le sol.

— Tu veux dire que c'est toujours plus beau dans ta tête ?

— Oui. Écrire, c'est seulement une façon de rejoindre le terrain d'atterrissage. Alors si on a un peu de dignité, il faut le faire d'une manière originale. Comme personne ne l'a fait auparavant.

— Et c'est ce que tu appelles le style ?

Le vieux Jack sourit sans répondre, puis il tourna la tête pour regarder la rivière à notre gauche. Faute de pluie, elle était presque à sec. Alors seulement, je me rendis compte que les autres, je veux dire ma sœur et la Grande Sauterelle, n'avaient pas dit un mot depuis longtemps.

Aux chutes de la Chaudière, je posai une dernière question :

— Est-ce que l'écriture te rend heureux ?

— Non, dit-il, mais elle m'empêche d'être malheureux. C'est déjà beaucoup.

## 12

## LE CHE GUEVARA DE LA SASKATCHEWAN

Une nuit, je rêvai à Louis Riel et à Gabriel Dumont.

C'était en mai 1885, juste après la défaite de Batoche. Il flottait partout des nappes de fumée, des odeurs de poudre. Écrasés par l'armée anglaise, les Métis de la Saskatchewan étaient en déroute. Plusieurs avaient perdu la vie, dont le vieux Ouellette, âgé de quatre-vingt-treize ans, Joseph Vandal, soixante-quinze ans, et Damase Carrière, traîné par un soldat à cheval jusqu'à ce qu'il meure.

Dans mon rêve, alors que tout le monde était en fuite et que les Anglais brûlaient les maisons du village, Gabriel Dumont, le chef militaire des Métis, se chargeait de mettre en sécurité ceux de ses compatriotes qui étaient encore vivants.

Des phrases tournaient dans ma tête, il fallait que je prenne des notes, et cette nécessité fut sans doute ce qui me réveilla. Il était trois heures vingt. Déjà certains mots commençaient à s'effacer de mon esprit, alors je me levai en toute hâte. Vêtu seulement d'un t-shirt qui me descendait jusqu'à mi-cuisse, j'allai m'asseoir à la table de cuisine où j'avais coutume de travailler. J'allumai la lampe halogène et sortis du tiroir une pile de feuilles vierges.

Je rédigeai quelques phrases qui me semblaient importantes, mais tout de suite je m'arrêtai : il s'agissait d'une autobiographie, je devais écrire comme si j'étais le joueur de hockey. Comment un auteur, même inexpérimenté, pouvait-il oublier une chose aussi élémentaire ? J'étais vraiment le plus nul des petits frères du monde entier.

Fermant les yeux, je m'efforçai de me mettre dans la peau du jeune hockeyeur, et c'est alors que se produisit un phénomène tout à fait nouveau pour moi. Je pouvais écrire sans effort plusieurs phrases de suite. Par exemple, je rédigeai ce texte : « Pendant la bataille, mon ancêtre, Gabriel Dumont, s'est conduit en héros. Les Métis ont subi la défaite parce que Riel a refusé les tactiques de guérilla qu'il lui conseillait. Même si tout est perdu, Gabriel se démène comme un beau diable. Il se rend au village, occupé par les Anglais, et rapporte des couvertures pour les gens qui ont trouvé refuge dans les bois et souffrent de la faim et du froid. Ensuite il retourne chercher de la viande sèche et de la farine. Il prend soin de sa femme, Madeleine, qu'il met à l'abri. J'aimerais avoir sa force et son courage. »

J'arrête d'écrire pour l'instant.

Tout est silencieux, à part le ronronnement du frigo. Je me lève pour préparer du café. Avant de reprendre mon travail, je contemple les lumières qui se perdent au loin dans les montagnes. C'est agréable de travailler pendant que tout le monde dort.

Sous ma plume, les mots continuent d'arriver. J'écris que Gabriel Dumont ne ressent pas la fatigue. Il vient en aide à quelques citoyens qui refusent de rendre les armes. Il attrape un cheval et parcourt la région, même s'il est recherché par des patrouilles ennemies. Un père oblat déclare aux Anglais : « Vous perdez votre temps. Il connaît le moindre brin d'herbe de toute la prairie. »

Gabriel trouve un abri plus sûr pour sa femme, ensuite il éprouve le besoin d'aller voir son père. Et là, pour la première fois, j'hésite : le père du chef militaire s'appelle Isidore, et c'est aussi le prénom du joueur de hockey. Ce détail mérite-t-il d'être signalé? Il me semble que oui, mais après avoir cherché pendant quinze minutes une formulation correcte, je change d'avis : mieux vaut éliminer tout ce qui risque de distraire le lecteur.

Voilà cependant que le doute s'est installé dans mon esprit. Quand je veux décrire la rencontre entre Gabriel et son père, je me pose des questions à chaque phrase, je cherche une meilleure façon de m'exprimer. Il me faut presque une demi-heure pour raconter un événement très ordinaire : Isidore est fier de son fils parce qu'il a refusé de « plier » , mais à son avis il risque de passer « pour un bêta » en s'obstinant à continuer la lutte. Il lui conseille même de se réfugier aux États-Unis.

C'est la partie la plus importante de mon chapitre. Gabriel Dumont accepte le conseil de son père, mais il tient à retrouver Louis Riel pour l'emmener et le conduire en sécurité de l'autre côté de la frontière.

J'ai écrit trois pages. La nuit s'achève, la noirceur du ciel est en train de virer au bleu foncé. Il faut absolument que je reste dans la peau du hockeyeur. Je n'y arrive plus tout à fait. Parfois je suis lui, parfois je redeviens moi. Je ne suis pas certain d'avoir le ton qui convient.

Le chef militaire passe quatre jours à la recherche de Riel. Ses efforts sont vains. Il apprend que son ami est en route pour se livrer au général anglais. Son but : concentrer sur lui-même la colère de l'ennemi, et devenir un martyr afin d'assurer l'avenir des Métis de l'Ouest canadien.

Gabriel, lui, n'a pas l'étoffe d'un martyr. Le cinquième jour, il déclare : « Le bon Dieu n'a pas voulu que je revoie mon pauvre Riel. » Avec un compagnon, et six galettes pour toute nourriture, il s'enfuit à cheval en direction de la frontière américaine. Onze jours plus tard, il est en sécurité au Montana.

Pour finir mon chapitre, je fais dire au joueur de hockey que Gabriel Dumont, par sa maîtrise de la guérilla et son dévouement pour les siens, est devenu le *Che Guevara* de la Saskatchewan ; et j'ajoute qu'un jour il sera reconnu comme un héros de la résistance française en Amérique.

## 13

## LE BAR DE LA CÔTE SAINTE-GENEVIÈVE

En revenant de la Beauce, Jack m'avait conseillé de mettre des illustrations dans mon livre, alors j'avais hâte de revoir la Grande Sauterelle.

Après avoir enjambé la chaîne métallique et contourné le Volks, comme je le faisais toujours, je vis que la vitre du côté passager était entrouverte pour la ventilation. Dans la boîte à gants, le vieux Chop Suey ouvrit un œil, le referma et se rendormit.

La Grande Sauterelle n'était pas là.

Je me mis à sa recherche pour obtenir les photos qu'elle avait prises à Batoche. C'était déjà le mois de juillet, et on était obligé de louvoyer entre les groupes de touristes pour descendre la rue Saint-Jean. Un petit vent d'ouest avait dissipé les nuages du matin. Mes lunettes de soleil me permettaient de loucher sur les vitrines et de reluquer tout le monde. Je marchais lentement, l'œil aux aguets, prenant le temps de scruter l'intérieur des établissements. Au magasin J.A. Moisan, j'entrai par la première porte et, avant de sortir par la deuxième, j'achetai des pastilles Ricola au miel et au citron.

C'est drôle à dire, mais je me sentais presque heureux. Chercher quelqu'un qu'on aime beaucoup, sans être pressé, il n'y a rien de plus réconfortant. Cette personne se trouve dans votre tête, elle est déjà avec vous, et plus le temps passe, plus vous devenez amoureux.

En longeant le muret de l'ancien cimetière St. Matthew, j'examinai un par un les gens assis sur les bancs ou dans l'herbe ; je fis même quelques pas à l'intérieur pour regarder si la Grande Sauterelle ne se trouvait pas dans le recoin le plus éloigné, où reposaient les parents irlandais de la belle Marine.

Elle n'était pas dans le parc.

Je tirai la lourde porte de l'église qu'on avait transformée en bibliothèque. Passant à côté du comptoir de prêt, je fis le tour des tables et des allées. Aucune trace de mon amie, mais c'était quand même réjouissant de voir les couleurs que le soleil allumait dans les vitraux du vieux temple protestant.

Quand je sortis, la tête pleine de lumière, je trébuchai dans le petit escalier, malgré l'écriteau qui disait de prendre garde à la marche. Je repris mon équilibre juste à temps pour ne pas heurter un curieux personnage que je croisais parfois en me promenant dans le Faubourg. Les cheveux très longs, avec quelques tresses, il avait une barbe mal entretenue et portait un imperméable beige tout défraîchi. Il se tenait au bord du trottoir, incliné vers l'avant, et parlait aux automobiles garées en bordure de la rue. Je veux dire, il leur parlait vraiment. C'est pourquoi je l'avais baptisé «l'homme qui parle aux autos».

Dans le quartier, il y avait plusieurs individus de ce genre qui paraissaient atteints d'une douce folie. Je les saluais toujours, les considérant presque comme des frères, car avec ma prothèse spéciale, il me fallait bien convenir que je n'étais pas tout à fait une personne normale.

Je me remis à descendre la rue Saint-Jean. Le soleil me chauffait le cou, les bras et les pieds. Je portais un *bob* ramolli que Jack m'avait prêté. Laissant derrière moi la ruelle menant au bar Le Drague, où les hommes qui préfèrent leurs pareils se rassemblent le soir, je passai plus rapidement devant les marchands de boissons alcooliques et de lingerie à caractère érotique. Juste avant l'autoroute Dufferin, je profitai du feu de circulation pour changer de trottoir.

Devant l'immeuble de Radio-Canada, j'entendis une chanson diffusée par les haut-parleurs. Une chanson simple, mélodieuse et très émouvante : *Jolie Louise*, de Daniel Lanois. Les premiers mots disaient : «Ma jolie, *how do you do?*» Un bout en français, un bout en anglais. L'alternance aurait dû me faire réfléchir aux exigences du joueur de hockey en matière de langue, mais j'avais l'esprit obnubilé par le désir de revoir la Grande Sauterelle.

Ce désir m'obséda pendant toute la durée de ma recherche, sauf à certains moments, lorsque j'étais envahi par la crainte de ne pas bien accomplir mon travail de fantôme.

J'entrepris de remonter la rue et, après quelques pas, j'entrai à l'Intermarché : c'était l'endroit où nous faisions nos provisions les plus urgentes. Je parcourus toutes les allées sans apercevoir la Grande Sauterelle. Avant de sortir, j'achetai une tablette de chocolat noir pour ne pas avoir l'air d'un voleur. Ensuite je pressai le pas, ne ralentissant que devant la boulangerie, le temps de voir par la grande fenêtre que la belle Métisse n'était pas à l'intérieur.

Plus loin, je ne fis qu'une brève inspection de quelques commerces : le restaurant Hobbit, la pharmacie, un marchand de journaux. En face de chez Bégin, je retraversai la rue pour jeter un coup d'œil aux librairies de livres usagés. L'une d'elles abritait un comptoir-lunch et des tables pour les lecteurs. Je grimpai l'escalier, très étroit ; afin de me reposer les jambes, je pris le temps de boire un café.

À cause des livres qui m'entouraient, je repensai à mes problèmes d'écriture. En fait, je me disais qu'il existait peut-être un rapport secret entre ma crainte de ne pouvoir écrire et mon envie de séduire la Grande Sauterelle. Mais, comme l'endroit était chaleureux et sympathique, cette idée me quitta aussi vite qu'elle était arrivée.

En vidant ma tasse, je me demandai si la Métisse n'était pas revenue au camion. Je retournai au stationnement, ne m'arrêtant qu'à un seul endroit en cours de route : la papeterie Le Copiste du Faubourg, où elle achetait parfois du papier fin pour écrire à ses amis de San Francisco.

Elle n'était pas à la papeterie.

Dans le Volks, je ne trouvai que Chop Suey ; il dormait encore. L'idée me vint qu'elle s'était peut-être rendue au parc Berthelot de la rue Saint-Patrick. Ce n'était guère probable, car elle aurait emmené son chat, mais je résolus d'aller voir quand même. Le plus simple était d'emprunter la courte ruelle qui prolonge la côte Sainte-Geneviève. Ce que je fis.

Je marchais sur le trottoir de gauche. Soudain, au moment où je passais devant le bar St. Matthew's, dont les fenêtres étaient obstruées par un store vénitien, je crus apercevoir les longues jambes de la Grande Sauterelle. Mon cœur s'arrêta, et repartit à toute vitesse. Après avoir jeté un coup d'œil autour de moi, je pris la liberté de regarder entre les lamelles du store.

Je vis du monde à l'intérieur, même si ce n'était pas encore l'heure de l'apéro. Les lumières étaient allumées, douces et multicolores comme je les aimais. Surtout, il y avait une lumière blanche et vive, projetée par une lampe suspendue au plafond, qui éclairait une table de billard. La Grande Sauterelle jouait une partie en solitaire, et c'est le reflet de cet éclairage sur ses jambes dorées qui avait capté mon attention.

On pouvait entrer par l'arrière en traversant une étroite terrasse coincée entre le bar et un parc de stationnement. Je décidai de passer par là : les petits frères aiment bien la discrétion.

Sans faire de bruit, je m'assis dans une section tranquille, loin de la table de billard. En face de moi, il y avait un comptoir en fer à cheval devant lequel se trouvaient une dizaine de fauteuils tournants occupés par des buveurs de bière. Toutes ces personnes avaient fait pivoter leur siège et surveillaient le moindre des mouvements de la fille.

Sous la lumière crue de la lampe, la Grande Sauterelle jouait avec la même assurance que si elle avait été seule dans le bar. Avant chaque coup, elle prenait le temps d'enduire de craie bleue le bout de sa queue de billard, puis elle soufflait dessus pour enlever ce qu'elle avait mis en trop. Une bille à la fois, elle vidait la table, donnant toujours un effet spécial à la blanche, de manière à se placer dans la position la plus favorable pour le coup suivant.

Au comptoir, les hommes ne perdaient aucun de ses gestes. Ils ne disaient rien, l'air ébahis, mais certains émettaient des sifflements d'admiration lorsque, au lieu d'utiliser le râteau pour atteindre la blanche, elle se courbait au-dessus du tapis et allongeait une jambe sur la table, ce qui faisait retrousser son short déjà très court. Moi-même, je retenais ma respiration et, en vérité, j'avais hâte d'être seul avec elle.

En contournant la table, tout à coup, elle m'aperçut. Elle posa sa queue de billard et vint s'asseoir avec moi. Tout le monde nous regardait.

— Je ne t'avais pas vu, dit-elle, en s'étirant les bras derrière la tête.

— Ça fait même pas une minute que je suis là, dis-je, aussi menteur que d'habitude.

Elle fit un signe au barman. Il lui apporta un apéro qui ressemblait à un vermouth blanc, mais je ne suis pas expert dans ce domaine. Puis il me demanda ce que je voulais boire.

— La même chose, dis-je, après avoir vérifié discrètement si mon portefeuille se trouvait bien dans la poche arrière de mon jean.

Le barman m'apporta l'apéro. Quand je voulus payer, il déclara que c'était *« on the house »* et tourna les talons.

— C'est comme ça, fit la Grande Sauterelle.

— Qu'est-ce qui se passe?

— Il paraît que le bar s'est rempli à cause de moi, alors je ne paye rien, mes invités non plus.

Penchée vers moi, elle se mit à raconter qu'elle fréquentait les bars depuis quelque temps afin de se faire des revenus. Elle était entrée au St. Matthew's en début d'après-midi, et elle avait commencé à jouer toute seule. Un homme, au comptoir, s'était approché de la table de billard et lui avait proposé de faire une partie.

— Et alors?

— C'est justement ce que j'espérais. J'ai accepté, mais à la condition de mettre une somme en jeu. Vingt dollars au gagnant, ensuite quitte ou double. L'homme avait un petit sourire en choisissant une queue dans le râtelier. On a tiré à pile ou face pour savoir qui allait commencer. C'était moi. J'ai brisé le triangle très doucement. Il a fait trois billes de suite, et raté la quatrième. Alors j'ai vidé la table. Il ne souriait plus.

— Je ne savais pas que tu étais aussi douée.

— Quand j'étais plus jeune, vers dix-huit ans, je conduisais un gros camion sur la Côte-Nord. Un Mack de dix tonnes. Chaque fois que je m'arrêtais à Baie-Comeau ou à Sept-Îles, j'allais manger une bouchée dans les restaurants où il y avait des tables de billard. C'est là que j'ai appris. Au début, je voyageais avec mon père et il m'a montré comment faire.

— Ton père était Indien?

— Non, il était Blanc. C'est ma mère qui était Indienne. Une Montagnaise.

Je cessai de la questionner parce que son regard semblait perdu dans le lointain. Quand ses yeux noirs revinrent sur moi, elle esquissa un sourire, comme pour s'excuser de son absence. Puis elle raconta qu'elle venait d'affronter tous les hommes du bar; elle les avait battus l'un après l'autre et possédait maintenant assez d'argent pour vivre pendant un mois.

— Veux-tu jouer avec moi, juste pour rire?

— Non merci. Ça fait trop longtemps que je n'ai pas joué.

À vrai dire, je jouais très mal et je n'avais pas envie de me donner en spectacle. Les buveurs de bière étaient maintenant accoudés au comptoir et discutaient entre eux, mais de temps en temps ils se retournaient pour surveiller la Grande Sauterelle qui avait posé ses jambes sur la chaise voisine.

— En fait, j'étais venu te demander quelque chose.

— Quoi?

— J'ai commencé à écrire mon livre... Je veux dire, le livre de Jack, l'autobiographie du joueur de hockey.

— Oui...

— C'est mon premier chapitre et je pense qu'il est trop court. J'ai envie d'ajouter une des photos que tu as prises à Batoche, quand tu es revenue de la Californie. Est-ce qu'on pourrait les regarder?

— Bien sûr. Elles sont dans le Volks. Je les ai mises dans un petit album. Veux-tu les voir maintenant?

— Non. Pour l'instant, j'ai envie de sortir d'ici et de flâner avec toi n'importe où. Par exemple, dans le Vieux-Québec. Est-ce que ça te tente?

— O.K. Une petite seconde...

Ma proposition n'était pas originale, mais, en réalité, je voulais la soustraire aux regards lubriques des buveurs de bière. Pour tout dire, j'étais un peu jaloux.

Pendant que je vidais mon verre, elle se leva et se rendit à la table de billard. Il me sembla que ses hanches se balançaient plus que d'habitude. Sous les yeux de tous les clients du bar, qui s'étaient retournés et la regardaient en silence, elle reprit sa queue et expédia dans les poches de la table chacune des billes qui restaient, sans en rater une seule.

Quand elle me fit signe, je la rejoignis et il n'y eut aucun commentaire pendant que nous sortions par la porte principale.

Elle me frôlait du coude et j'étais fier d'être avec elle.

## 14

## CONSEILS GÉNÉRAUX SUR L'ÉCRITURE

Quand je relus mon chapitre, le lendemain en fin de matinée, il me parut de mauvaise qualité. Une écriture conventionnelle. Des propos dénués d'intérêt. Des longueurs.

J'ai honte de le dire : il me fallait à tout prix obtenir l'avis de Jack. Mon cahier sous le bras, je montai chez mon frère au douzième étage. En sortant de l'ascenseur, je fus bousculé par un homme qui était pressé d'y entrer. La porte automatique se referma avant que j'aie eu le temps de bien voir son visage, mais il me sembla que c'était l'étrange Mad Dog.

Au bout du couloir, je m'arrêtai devant l'appartement de mon frère. D'habitude je frappais doucement, il ne répondait pas et j'entrais en me servant de mon double. Mais là, ce fut tout le contraire. Au moment où j'allais frapper, il ouvrit brusquement la porte.

— C'est toi? fit-il, l'air étonné.

— Je suis content que tu me reconnaisses, dis-je ironiquement. Qu'est-ce qui se passe?

— Il y a eu un drôle de bruit. Comme si quelqu'un essayait de forcer ma serrure.

— C'était pas moi. Je viens juste d'arriver.

Pour ne pas l'inquiéter, je m'abstins de mentionner la présence de Mad Dog. De toute façon, je n'étais pas certain qu'il s'agissait de lui ; quand je suis énervé, mon imagination me joue des tours.

— Qu'est-ce que tu veux? demanda mon frère.

— Je venais simplement voir si tu allais bien...

— Sacré menteur! Tu crois que je n'ai pas vu le cahier que tu as sous le bras?

— D'accord, tu as raison, je t'apporte un petit texte. Seulement quelques pages.

— Qu'est-ce que c'est?

— Le début de l'autobiographie. Je viens de l'écrire.

Jack avança la tête et inspecta le couloir. Il vérifiait s'il y avait quelqu'un d'autre.

— Je refuse de lire ça, déclara-t-il sur un ton péremptoire.

— Écoute, je te propose un marché. Je prépare ton repas du midi et, pendant ce temps, tu jettes un coup d'œil à mon texte. Un petit coup d'œil de rien. Cinq minutes.

— C'est non!

— Pourquoi?

— Tu m'apportes ton texte parce que tu as un doute. Tu te demandes s'il est bien écrit, c'est ça?

— Oui.

— C'est toujours ce qui arrive, tu ferais mieux de t'habituer tout de suite. Je vais te donner un conseil : laisse dormir ton texte une semaine, il te paraîtra meilleur quand tu le reliras.

— Merci, dis-je. Mais, étant donné que je suis là, je vais quand même préparer ton dîner.

Et j'entrai sans attendre sa permission. Avant d'aller à la cuisine, je posai mon cahier bien en vue sur la table à manger, plus précisément sur le coin le plus proche de sa chaise Lafuma. Un petit frère apprend vite à mettre toutes les chances de son côté.

Préparer le repas de Jack n'était pas difficile. À midi, pour éviter de perdre du temps, il mangeait toujours la même chose : des légumes surgelés, cuits à la vapeur, et quelques morceaux de viande blanche. Tout ce que j'eus à faire, ce fut de remplir une marguerite de légumes et de placer celle-ci dans une casserole avec un demi-pouce d'eau. Au bout de deux ou trois minutes, je baissai le feu et je risquai un coup d'œil vers le séjour. Mon frère, les sourcils froncés, lisait mon texte. Il tournait les feuilles, revenait parfois en arrière ; il avait l'air de lire en diagonale, mais il lisait !

Une fois les légumes cuits, je les versai dans nos assiettes, ajoutai des morceaux de poulet, une noix de beurre et, m'étant assuré qu'il avait terminé sa lecture, je transportai les plats et les ustensiles sur la table.

Jack avait déjà pris la place qu'il préférait, celle qui permettait de voir le paysage des Laurentides. Je m'installai en face de lui. Faisant comme si j'étais résigné à ne pas entendre de commentaires, je parlai de tout et de rien : de la Grande Sauterelle qui refusait de loger ailleurs que dans son Volks, mais qui acceptait d'utiliser la douche et les commodités de mon appartement ; de Marine et Limoilou qui avaient écrit qu'elles se sentaient bien et voulaient prolonger leur séjour aux Îles.

Juste à voir la brusquerie avec laquelle mon frère piquait sa fourchette dans ses haricots et ses petites carottes, je devinai qu'il n'était pas d'humeur à bavarder.

Il me coupa la parole.

— Tu es sûr de n'avoir rencontré personne dans le couloir ?

— Personne, dis-je, en avalant un morceau de poulet et en me demandant pourquoi les Anglais employaient le mot *chicken* pour dire « peureux ».

— Tu le jures ?

— Oui.

Le poulet me resta en travers de la gorge et je bus une grande lampée d'eau fraîche pour le faire descendre. Mon frère avait déjà vidé la moitié de son assiette.

— Pour ton texte, je ne veux pas entrer dans les détails parce que je ne l'ai pas lu, mais...

Il mentait. Nous étions deux fameux menteurs.

— Mais, poursuivit-il, je peux te donner trois ou quatre conseils qui s'adressent à tous les auteurs. Ensuite, si tu n'y vois pas d'inconvénient, tu t'en iras et tu me foutras la paix. Les vieux écrivains comme moi, il faut les laisser tranquilles. Pas de visites, pas de lettres, pas de coups de téléphone. D'accord?

— D'accord.

— Premièrement, tu dois te débarrasser de tous les mots qui ne sont pas indispensables. Les adverbes, les séries d'épithètes, c'est comme de la dentelle, alors tu les enlèves. Ensuite, si tu veux garder le lecteur éveillé, il faut varier la construction des phrases. Troisièmement, pour que ton texte fasse entendre de la musique, tu essaies d'éviter les hiatus dans l'enchaînement des mots. Et puis, le lecteur doit respirer; il faut lui donner de l'air en multipliant les alinéas, les phrases courtes et sans verbes. Cinquièmement…

Il se gratta la tête.

— J'ai oublié le cinquièmement, dit-il en prenant un air faussement attristé.

— C'est pas grave, dis-je.

— Ça me revient… Demande à la Grande Sauterelle de te montrer les illustrations qu'elle a rapportées de Batoche. Il me semble que je te l'ai déjà dit, non?

— Oui, tu me l'as déjà dit une fois ou deux.

— À présent, voudrais-tu me laisser seul, s'il te plaît? Il faut que je travaille.

— Tu écris l'après-midi?

— Non. Je fais d'abord une petite sieste, ensuite j'ai plusieurs choses à lire pour mon roman. Ça te va, comme explication?

Tout en parlant, il s'était levé et me regardait froidement.

— J'ai compris, dis-je. Je fais la vaisselle et je m'en vais.

Pendant qu'il s'enfermait dans sa chambre, je transportai les assiettes et les ustensiles dans la cuisine. Je lavai la vaisselle en évitant les bruits inutiles. Ensuite, je pris mon cahier et quittai l'appartement sur la pointe des pieds.

Les petits frères sont des experts dans l'art de s'en aller sans bruit. J'étais inquiet à cause de Mad

Dog, mais je préférais ne pas trop y penser. D'autre part, j'avais au moins deux raisons d'être content de moi. En premier lieu, j'avais amené le vieux Jack à regarder mon texte. Ensuite, j'étais maintenant bien résolu à revoir la Grande Sauterelle et à lui faire des avances.

## 15

## LES ANGES GARDIENS

La Grande Sauterelle donna des croquettes et de l'eau à Chop Suey, puis elle sortit l'album de photos d'une armoire. Celle-ci contenait également des cartes routières, ainsi que les outils nécessaires à la mise au point et à la réparation du vieux Volks.

— Je peux te faire une proposition? demanda-t-elle.

— Bien sûr, dis-je, car le mot était une chanson douce à mon oreille.

— J'apporte l'album chez toi, je prends une douche si tu permets, ensuite on regarde les photos ensemble. Ça te va?

Je fis semblant de réfléchir.

— Ça me va.

Nous traversons la rue. Chez moi, au premier étage de la Tour, je ne peux m'empêcher de faire des calculs intéressés, oubliant le conseil de monsieur Hemingway: «Tout ce qui sent le mensonge ou l'artifice doit être rejeté impitoyablement.»

La Grande Sauterelle pose l'album sur une chaise et disparaît dans la salle de bain. Quand j'entends son short tomber sur les carreaux de céramique, je me dépêche d'aller lui offrir mon peignoir. Trois petits coups à la porte. Elle entrouvre et je lui tends le vêtement. Comme prévu, je vois son reflet dans le miroir qui couvre la moitié du mur, au-dessus de la cuvette et de l'évier.

Elle n'est pas offusquée: en me remerciant, elle me fait un très joli sourire. À la vérité, je n'ai jeté qu'un simple coup d'œil dans la salle de bain. Alors, je fais un autre essai. Avant qu'elle ne se mette sous la douche, je frappe une seconde fois à la porte.

— J'ai oublié ça, dis-je, en lui tendant une serviette propre.

— Merci, dit-elle. Tu es vraiment gentil.

Je lui dis que c'est la moindre des choses. Quand je louche vers le reflet dans le miroir, cette fois un peu plus longtemps, j'aperçois une longue silhouette brune. L'envie d'être près d'elle ne fait que grandir.

Je m'étends sur mon lit. Le bruit monotone de la douche m'aide à trouver les mots qui conviennent le mieux à la situation. Après une courte hésitation, j'opte pour un texte de monsieur Alain Grandbois, le célèbre voyageur qui a écrit des *Lettres à Lucienne* depuis une île de la Méditerranée.

Comme d'habitude, je fais l'effort de me concentrer. Au bout de quelques minutes, le texte se met à défiler dans mon esprit. J'ai l'impression de le voir sur un écran :

«Clos encore tes yeux parce qu'il faut
voir encore
dans la plus grande ombre de la pièce
le seul vrai lit secret du cœur
avec tes bras et mes bras et tes jambes et
mes jambes
et tes mains descendant le long de ma
poitrine
et mes mains montant le long de tes
genoux
Clos tes yeux pour nos doigts pleurant
de joie
sur nos ventres attentifs et doux
pour nos mains charnelles guettant le
premier frisson
ah bientôt toi fontaine ouverte et moi
fiévreux emportement
Clos tes yeux mon amour clos tes yeux
pour mieux voir
ce cœur éternel en délire   que le silence
soit parfait

nous sommes seuls vivant dans un
monde endormi.»

Quand la Grande Sauterelle sortit de la douche, vêtue de mon peignoir, environnée du léger parfum de mon eau de Cologne, le texte chaleureux de monsieur Grandbois produisait l'effet espéré. J'avais un numéro 3, et rien n'indiquait que les progrès allaient s'arrêter là. Couché sur le dos, je repliai les deux genoux pour dissimuler ce qui m'arrivait.

Elle entra dans la chambre.

— Tu veux que je te montre les photos? demanda-t-elle.

— Oui, dis-je. Voudrais-tu les apporter ici, s'il te plaît?

J'avais une petite voix.

— Es-tu fatigué? dit-elle.

— Mais non. C'est tout le contraire.

Elle alla chercher l'album sur la chaise et me le tendit. Ensuite elle s'allongea près de moi, appuyée sur un coude, et le bas du peignoir s'ouvrit parce qu'il était trop court. Ses genoux et une partie de ses cuisses se découvrirent.

J'avais déjà vu tout ça, puisqu'elle se promenait en short la plupart du temps, mais l'effet n'était pas le même, à cause du lit, de l'eau de toilette, et du numéro 3 qui, je le sentais bien sans avoir vérifié, se transformait en un numéro 5.

En ouvrant l'album, je vis la pierre tombale de Gabriel Dumont. De forme triangulaire, elle était posée dans l'herbe et ressemblait à une petite pyramide.

À mi-hauteur, l'une vis-à-vis de l'autre, étaient fixées deux plaques de bronze sur lesquelles on pouvait lire, en français et en anglais, un résumé de la vie du grand-oncle d'Isidore, Gabriel Dumont, chef militaire de Louis Riel, les raisons du soulèvement des Métis, et les événements ayant mené à la défaite de Batoche en 1885.

La Grande Sauterelle me fit voir d'autres photos. L'une montrait un petit cimetière où se dressaient quelques croix blanches – certaines étaient toutes de travers – avec une vieille église à l'arrière-plan. Plus loin, on voyait un presbytère dont le mur était criblé de balles.

À la dernière page de l'album, elle avait glissé plusieurs documents recueillis lors de sa visite au Parc national de Batoche. Dans une brochure, il y avait une série d'illustrations qui expliquaient comment les Métis de cette région étaient venus du Manitoba dans les années 1870 ; comment ils avaient défriché des lots aboutissant à la Saskatchewan-Sud ; comment ils bâtissaient leurs petites maisons en bois ; comment ils organisaient des soirées dansantes ; et aussi comment les mères parvenaient à s'occuper de leurs familles nombreuses.

Ce n'étaient plus les genoux de la Grande Sauterelle que je regardais, mais son visage. On aurait juré que ses pommettes anguleuses s'étaient arrondies. Ses yeux noirs comme le poêle avaient pris des nuances plus claires. Sa chevelure, qu'elle avait dénouée avant la douche, faisait maintenant penser à un châle enveloppant ses épaules.

Elle me parla des villages qui s'étaient développés dans la région, de la construction des églises, de la vénération que les Métis avaient pour les pères oblats, puis elle s'arrêta.

— Qu'est-ce que tu as? demanda-t-elle.

— Rien, dis-je. Je t'écoute et je te regarde.

— Justement, tu me regardes d'une curieuse de manière.

— Excuse-moi. Ton visage a changé quand tu as parlé des mères de famille.

Pendant que nous discutions, je sentais que le numéro 5 n'avait rien perdu de sa vigueur, et c'était rassurant. Mais, en plus, il se passait quelque chose de nouveau dans mon cœur. Quelque chose que je n'avais encore jamais éprouvé réellement. C'était un sentiment tout neuf, ou presque, et je crois que je l'aurais ressenti même si la Grande Sauterelle avait été vêtue des pieds à la tête. Juste à poser les yeux sur elle, j'étais ému. Je suivais attentivement tout ce qui bougeait sur son visage bronzé.

— Ah oui! fit-elle. Les mères de famille… Quand j'étais petite, à Maliotenam, sur la Côte-Nord, il y avait beaucoup de familles nombreuses. Chez les Indiens et chez les Blancs. Comme tous les enfants, je pensais que ma mère existait seulement pour me venir en aide et que je pouvais lui demander n'importe quoi.

Elle se tut et je ne fis aucun commentaire. Je me doutais bien qu'elle n'avait pas dit le plus important.

— Plus tard, dit-elle, j'ai commencé à travailler. Et un soir, j'ai rencontré un vieux Montagnais dans un bar. Il n'aimait pas beaucoup les Métis, évidemment, mais il me respectait à cause de la grosseur de mon camion. Je lui ai payé une bière et il m'a parlé des Esprits.

Après une pause très brève, elle enchaîna :

— Vous autres, les Blancs, vous avez un Dieu, un Être suprême, quelque chose de semblable. Pour ceux qui ont du sang indien, c'est différent : on voit des dieux un peu partout.

Elle se mit à rire, tout bas, comme lorsqu'on se moque de soi-même.

— C'est pas tout à fait ce que je veux dire, ajouta-t-elle. Les Indiens, comme les Blancs, ont un Dieu ; ils l'appellent le Grand Esprit. De plus, ils voient des esprits dans presque tous les éléments de la nature. Il y a l'esprit de l'aube, l'esprit de la lune, l'esprit du feu, l'esprit du loup, l'esprit de l'arbre…

Brusquement, elle s'interrompit, mais n'importe qui aurait pu voir qu'elle continuait la liste dans sa tête ; c'était pour ne pas me casser les oreilles qu'elle ne le faisait pas à voix haute. Ensuite elle reprit :

— L'Indien, dans le bar, m'a dit à peu près ceci : « Après notre mort, nous avons le droit de prendre la forme d'un esprit et de retourner ainsi dans le monde des vivants. » Alors moi, la Métisse, j'ai toujours pensé que les mères de famille décidaient de revenir sous la forme d'un ange gardien, et qu'elles continuaient à s'occuper des enfants comme elles l'avaient fait durant toute leur vie. Voilà, c'est ce que je voulais dire.

Dans le silence qui suivit, je fus bien obligé de voir que mon désir subissait le contrecoup de ses paroles. Parce que j'imaginais ma mère veillant sur moi, regardant par-dessus mon épaule, mon numéro 5, qui avait coutume de durer aussi longtemps qu'il le fallait, s'était mis à régresser. Ce n'était pas bien grave.

Au bout du compte, je me contentai de prendre la Grande Sauterelle dans mes bras, de la serrer très fort contre moi, de lui murmurer des mots doux, de lui chanter deux ou trois vieilles chansons.

Je me disais tout simplement que plus le temps passait, plus je l'aimais, et que, pour le reste, une nouvelle chance allait bientôt se présenter.

## 16

## LES CHIENS DU QUÉBEC

Monsieur Hemingway avait dit : « Aimer quelqu'un, avoir un livre en chantier, telles sont en ce qui me concerne les conditions les plus importantes pour être heureux. »

Les deux conditions énoncées par le vieux Hem étaient réunies, mais je ne me sentais pas heureux. Mon livre n'avançait pas assez vite à mon goût. Pour compenser, j'augmentai mes heures de travail. Un matin, je fis jouer une cassette pendant que j'avalais mes céréales arrosées de lait de soja à la vanille.

Isidore, le gardien de but, végétait encore dans les ligues inférieures. Depuis qu'il avait quitté son club junior de Saskatoon, après la séance de repêchage, on l'avait confié à l'équipe de la Ligue américaine qui était la filiale du Grand Club. On voulait qu'il améliore sa technique. L'entraîneur des gardiens était très compétent et travaillait en collaboration avec son collègue de la Ligue nationale.

C'était la première fois que le jeune Isidore recevait les conseils d'un vrai spécialiste. Jusque-là, il s'était surtout fié à son instinct.

Sur la cassette, il donnait un exemple à mon frère Jack :

— *Je faisais beaucoup trop de* one-knee-down.

— *Trop de quoi ?*

— *De* one-knee-down. *Vous ne savez pas ce que c'est ?*

— *Tous les écrivains sont des ignorants. Vous n'avez qu'à m'expliquer... Mais d'abord, ça se dit comment en français ?*

— *J'en sais rien. De toute façon, la langue du hockey, c'est l'anglais. De Vancouver à Halifax, en passant par Edmonton, Winnipeg, Toronto. Même à Montréal, dans la chambre des joueurs...*

— *Vous voulez dire le «vestiaire»?*

— *C'est ça... On parle anglais partout.*

— *Le Canada est un pays anglais,* dit Jack d'une voix neutre.

— *C'est une des choses que je veux dire dans mon livre. Mais tout d'abord, il faut que je raconte comment c'était avant, dans le temps de mes ancêtres. Ensuite, je voudrais expliquer comment j'aimerais que ça se passe dans les clubs du Québec. Vous comprenez?*

— *Bien sûr. Commencez par me parler du* one-knee-down. *C'est bien ça?*

— *Exactement.* One-knee-down *signifie un genou à terre: le mot le dit. Par exemple, je suis debout, la jambière gauche bien collée au poteau des buts, et je fais une sorte de génuflexion avec l'autre jambe pour bloquer une rondelle. Pouvez-vous voir ça?*

— *Mais oui. Je ne suis pas idiot.*

— *Excusez-moi. Ce que je veux dire, monsieur Waterman, c'est que le* one-knee-down *est une bonne position seulement quand la rondelle est derrière le but. Mais lorsqu'elle est devant...*

— *Le gardien ne couvre qu'une petite partie du filet,* dit Jack.

— *Vous avez bien compris. C'est une des faiblesses que j'ai corrigées avec monsieur Allaire.*

— *Qui?*

— *François Allaire, le spécialiste des gardiens de but. Vous devez le connaître, il a écrit un livre.*

— *J'en ai entendu parler. Peut-être même que...*

Il y eut un moment de silence. Je devinais ce qui se passait: mon frère avait quitté sa chaise longue; il s'assoyait sur ses talons devant une étagère et, penchant la tête d'un côté puis de l'autre, il essayait de lire les titres; ensuite, il se relevait et allait s'accroupir un peu plus loin.

— *Je ne le trouve pas. Quelqu'un est venu fouiller dans mes affaires encore une fois!*

— *Ça ne fait rien. Je vais vous parler des autres faiblesses que j'ai corrigées en travaillant avec monsieur Allaire.*

Jack devint impatient. Il bougonna quelque chose d'indistinct, pendant qu'Isidore se lançait dans une longue explication portant sur l'attitude des gardiens de but. Le spécialiste Allaire lui avait appris à rester debout, à se relever très vite quand il était forcé de se jeter sur la glace. Il lui avait enseigné des exercices pour accroître sa rapidité dans les déplacements latéraux. Il lui avait appris à tenir sa mitaine plus haut et vers l'avant, et à deviner lequel des adversaires allait recevoir une passe et lancer vers le but.

Isidore s'enthousiasmait. Il accumulait les détails, le plus souvent d'ordre technique.

Je stoppai la cassette.

Encore une fois, pour ne pas agacer le lecteur, j'allais être dans l'obligation de faire un choix, de m'en tenir à l'essentiel. J'appuyai sur *fast forward* pendant quelques secondes. Quand la cassette reprit son rythme normal, le hockeyeur avait changé de sujet: il parlait de ses débuts avec l'équipe de la Ligue nationale.

Le gardien attitré s'étant blessé à l'aine en faisant le grand écart, on avait fait venir Isidore de Hamilton pour occuper le poste de réserviste. Il arborait un casque tout neuf sur lequel était peint un bison des Grandes Plaines.

Jack lui demanda si on l'avait encore traité de *frog*.

— *Oui,* dit-il, *mais ce n'était pas méchant.*

— *Comment le savez-vous?*

— *Ça venait des joueurs francophones. Ils disaient: «Tiens, un nouveau* frog *dans l'équipe!»*

— *Au moins, ils vous parlaient en français!*

— *Pas toujours. Sitôt qu'il y avait un anglophone aux alentours, tout le monde parlait en anglais.*

— *Vous aussi?*

— *Non, pas moi. C'est à cause de mon ancêtre, Gabriel Dumont, et de tout ce qui s'est passé à Batoche.*

— *Je ne comprends pas.*

Par le ton de sa voix, il était évident que mon frère mentait. Le hockeyeur ne s'en rendit pas compte; il expliqua :

— *Nous autres, les Métis, on est têtus et on a de la mémoire. On n'oubliera jamais les efforts que nos ancêtres ont faits au Manitoba et en Saskatchewan. Comment ils se sont battus contre les Anglais pour garder leurs terres, leur langue et leur façon de vivre.*

Je regardai le vieux magnétophone : le ruban approchait de la fin. J'étais fatigué de prendre des notes, j'avais envie d'aller dehors, mais je décidai de me rendre au bout.

— *Vous êtes combien de joueurs francophones?* demanda Jack.

— *Si vous parlez du Grand Club, on est seulement trois. En plus, nos partisans nous encouragent en anglais. Ils crient :* «Go Habs Go!» *Ça m'enrage! Est-ce qu'on n'est pas dans la plus grande ville française en Amérique du Nord?*

— *On va s'arrêter là pour aujourd'hui,* dit mon frère. *Mais auparavant, dites-moi en deux mots ce que vous avez sur le cœur.*

La réponse m'étonna par sa vigueur. Le gardien de but déclara que le hockey devait être aussi français à Montréal qu'il était anglais à Toronto ou à Vancouver; que l'hymne national devait être chanté en français seulement; que la majorité des joueurs et des membres de la direction devaient être des francophones.

À la condition que ces exigences fassent partie de sa biographie, peut-être qu'il arriverait à digérer la défaite de Batoche, et l'humiliation subie par

Gabriel Dumont et Louis Riel ; peut-être même qu'il oublierait cette phrase que l'on attribue au premier ministre du Canada, sir John A. Macdonald :

> « Quand bien même tous les chiens du Québec japperaient ensemble, Riel sera pendu ! »

## 17

## UN FANTÔME INQUIET

Je n'avais pas suivi les conseils de Jack. Selon lui, pour accrocher le lecteur, je devais commencer mon livre en racontant quelque chose de touchant ou de sensationnel.

Au lieu de cela, j'avais opté pour l'ordre chronologique. Ma première phrase reprenait mot à mot le début de l'entretien entre le hockeyeur et mon frère : « Je m'appelle Isidore Dumont et je suis né à Batoche, en Saskatchewan. C'est là qu'ils ont enterré mon grand-oncle, Gabriel Dumont, le fameux... etc. »

Ensuite, me laissant guider par ma fantaisie, j'avais écrit plusieurs épisodes sans suite logique. Et, à ma grande surprise, un matin, je m'étais réveillé avec un plan dans la tête.

Somme toute, mon travail s'améliorait et j'étais plutôt satisfait du résultat. Malheureusement, la dernière cassette du hockeyeur venait tout remettre en question. Ses tendances nationalistes allaient beaucoup plus loin que je ne le pensais. Il fallait que je prévienne l'éditeur de ce changement, c'était la moindre des choses.

Il y avait deux façons de procéder. Soit je montais au douzième et je donnais un coup de fil à la maison d'édition en imitant la voix de mon frère, soit je me servais de son ordinateur pour envoyer un message à l'éditeur, comme la fois précédente.

Je choisis la deuxième solution, qui avait fait ses preuves.

— Encore toi ? marmonna Jack, en robe de chambre à quatre heures de l'après-midi. Il portait, malgré la chaleur, des bas de grosse laine grise qui lui montaient aux genoux.

— Tu ne travaillais pas, j'espère?

— Je travaille tout le temps.

— On est en plein été, il fait très beau...

— C'est pour me dire ça que tu es venu?

— Non. Je veux envoyer un mot à ton éditeur encore une fois. Un petit problème avec le joueur de hockey.

Il s'avança de quelques pas, regarda s'il y avait quelqu'un dans le couloir, puis s'écarta pour me laisser entrer. Ses bas de laine glissaient sans bruit sur le parquet en bois.

— Quel genre de problème? demanda-t-il.

J'expliquai brièvement où j'en étais dans mon travail d'écrivain fantôme. Lorsque je me mis à parler des forts penchants nationalistes du hockeyeur, il eut un geste impatient.

— Arrête! fit-il. Je ne veux rien savoir de tout ça. Des problèmes, j'en ai déjà trop. Mon histoire n'avance presque plus.

— D'accord. Pour te déranger le moins longtemps possible, je vais envoyer mon message tout de suite sur ton ordinateur. Avant ça, veux-tu que je te fasse un café?

— Je ne bois plus de café depuis vingt ans!

— Excuse-moi.

J'oubliais que mon frère avait remplacé son café par une étrange mixture d'origine suisse, appelée Bambu, faite de céréales additionnées de figues et de glands. J'en avais déjà bu une gorgée: c'était infect.

Brusquement, comme s'il se rendait compte que son impatience ne pouvait mener à rien, il changea d'attitude. Il alla lui-même à la cuisine et mit de l'eau à bouillir, puis il me précéda dans la chambre. Son cahier d'écriture était resté ouvert sur la planche à repasser qui lui servait de table. Il prit le cahier et l'emporta hors de la pièce.

Après avoir installé l'ordinateur portatif à la hauteur de mes coudes, j'ouvris la boîte aux lettres de mon frère. L'adresse de l'éditeur s'inscrivit d'elle-même, tout allait bien.

Les idées se pressaient dans ma tête.

En quelques minutes, j'écrivis :

*Cher Éditeur,*

*J'ai écouté plusieurs fois l'enregistrement des conversations que j'ai eues avec l'homme que vous connaissez et dont je tais le nom par prudence. Je suis frappé, à présent, par les tendances ultranationalistes de cette personne et je me sens obligé d'orienter mon livre dans cette direction. À votre avis, est-ce que ce choix risque de provoquer des réactions négatives chez les lecteurs ou encore chez les responsables anglophones de la Grande Ligue?*

*Jack, le Fantôme inquiet*

L'eau bouillait depuis un moment dans la cuisine. Laissant l'ordinateur en veilleuse, je m'occupai de préparer des boissons chaudes : une tasse de Bambu pour mon frère et, pour moi, un café en poudre, tout aussi imbuvable. Jack se mit à boire sa mixture à petites gorgées rapides. Il me regardait avec insistance. Je le voyais bien, il souhaitait que je parte au plus vite.

J'emportai ma tasse dans la chambre. Comme je l'espérais, la réponse était arrivée :

*Cher Fantôme,*

*Puisque la biographie est écrite au «je», vous devez être aussi fidèle que possible au contenu des enregistrements. Le commissaire de la Ligue nationale ne sera pas content, mais je vous propose de ne pas en tenir compte. Si les idées nationalistes sont excessives, il en résultera un débat public qui fera grimper les ventes.*

*Salutations amicales,*<br>
*Votre éditeur.*

*P.-S. Détruisez ce message.*

## 18

## UN MOMENT DE REPOS AVEC LES CHATS

Au milieu du mois d'août, je reçus un mot des Îles-de-la-Madeleine, où se reposaient Marine, la belle rousse, et la jeune Limoilou.

Les filles commençaient à trouver les touristes trop envahissants. Marine avait moins d'espace pour pratiquer le naturisme. Comble de malchance, un journaliste de Québec, spécialiste des faits divers, était en vacances à Cap-aux-Meules. Ayant reconnu Limoilou au cours d'une promenade, il avait signalé sa présence dans un journal local. Depuis lors, l'adolescente s'imaginait que les gens ne cessaient de l'observer et qu'ils chuchotaient dans son dos.

Pour ces raisons et plusieurs autres, les filles annonçaient leur retour : Limoilou à Québec et Marine au chalet. Je décidai de prendre un congé d'écriture et de me rendre à l'île d'Orléans afin de m'assurer que tout était propre et que l'Irlandaise allait trouver des provisions en arrivant.

J'avais, bien entendu, une idée en tête. C'était l'occasion d'être avec la Grande Sauterelle, qui m'attirait de plus en plus. Pour la convaincre de m'accompagner au chalet, je lui fis croire qu'elle était la seule à pouvoir m'aider, car la Petite Sœur ne voulait pas quitter son travail auprès des femmes en difficulté.

La Grande Sauterelle s'offrit à me conduire à l'île. Comme son véhicule n'avait pas bougé depuis le voyage en Beauce, elle vérifia le niveau d'huile et la pression des pneus. J'ouvris le cadenas et retirai la chaîne de métal qui fermait l'espace de stationnement. Le Volks démarra en toussotant et laissa des parcelles de rouille sur le sol. Quand j'eus replacé la chaîne, nous descendîmes la rue Saint-Jean du côté gauche pour nous engager sur l'autoroute Dufferin.

Très haut dans le ciel, il y avait ce qu'on appelle des nuages de chaleur. Le vieux Chop Suey, qui dormait comme toujours dans la boîte à gants, ouvrit les yeux et sauta sur mes genoux. Il se haussa sur ses pattes arrière et regarda un moment défiler le paysage, puis retourna se coucher.

Dans les rayons obliques du soleil, les jambes nues de la Grande Sauterelle jetaient par intermittence des éclats de lumière. J'étais ébloui et, contrairement à mon habitude, je ne me privais pas de regarder ; c'était plus fort que moi de toute façon. Dans ma poitrine, et un peu plus bas, je sentais comme une boule de chaleur.

Autour de nous, tout me semblait plus beau que de coutume. Les fumées d'usine de la papeterie étaient plus légères. Le pont de l'île, que nous aperçûmes en abordant la courbe de Beauport, me parut élégant et délicat.

La Grande Sauterelle, encore une fois, était heureuse de tenir le volant. À la sortie du pont, elle prit un élan pour grimper la côte, rétrograda en seconde, puis se rendit tout droit au Buffet Maison pour faire le marché. Ensuite, elle revint en arrière et tourna à droite au feu de circulation. Elle maniait le levier de vitesses juste au bon moment et sans à-coups.

— Tu conduis vraiment bien, dis-je.

— Merci, dit-elle simplement.

— C'est très agréable d'être avec toi.

Elle mit sa main droite sur mon genou, puis la retira juste au moment où j'allais poser ma main sur la sienne. Pour camoufler mon geste, j'allongeai le bras et fis une petite caresse au chat qui somnolait à sa place habituelle. Ensuite, j'osai dire :

— J'aurais bien aimé suivre la Piste de l'Oregon avec toi.

— Ah oui? fit-elle.

— Je veux dire, avec toi et Jack. Est-ce que tu crois qu'il y a de la place pour trois personnes dans le Volks?

— Sûrement.

— J'aurais aimé traverser l'Amérique à la recherche de Théo. Partir le matin et aller de surprise en surprise. C'était comme ça tous les jours?

— Pas tous les jours, dit-elle. Assez souvent, je me refermais sur moi-même. J'étais très jeune, je ne savais pas si j'étais Blanche ou Indienne. Parfois même je me demandais si j'étais une fille ou un garçon. Heureusement que Jack était patient! Il ne t'en a jamais parlé?

— Non. Il m'a dit que c'était une chance de t'avoir rencontrée, que tu avais toutes sortes d'idées originales, que tu conduisais comme une championne et que tu étais très forte en mécanique.

Pour la séduire, j'en rajoutai :

— Et il a dit que lorsque tu faisais le copilote, tu trouvais facilement les meilleurs endroits où il était possible de voir les ornières creusées par les wagons sur la Piste de l'Oregon.

— C'était facile. Je n'avais qu'à suivre les indications données dans *The Oregon Trail Revisited*.

— En tout cas, c'est ce qu'il a dit.

Je me grattai le genou comme si j'avais une démangeaison, alors c'est sur ma main, cette fois, qu'elle posa la sienne. L'émotion que me procura ce simple contact fut si forte que je restai muet pendant toute la traversée du village de Saint-Pierre.

Sans retirer sa main, elle se mit à chantonner un air. Elle connaissait bien la mélodie, très douce, mais ne se rappelait qu'un mot par-ci par-là. C'était une chanson interprétée par Françoise Hardy. Je la savais par cœur et je l'aimais beaucoup, mais je préférais laisser faire la Grande Sauterelle. La seule chose que je me permettais, c'était de prononcer mentalement les mots qu'elle avait oubliés.

La chanson disait :

« Beaucoup de mes amis sont venus des nuages
Avec soleil et pluie comme simples bagages
Ils ont fait la saison des amitiés sincères
La plus belle saison des quatre de la Terre »

Et plus loin, j'aimais ces mots :

« Mais parfois dans leurs yeux se glisse la tristesse
Alors, ils viennent se chauffer chez moi
Et toi aussi, tu viendras. »

La Grande Sauterelle se souvenait de la dernière phrase : « Et toi aussi, tu viendras. » Elle la chantait très bien. À mon goût, c'était peut-être mieux que Françoise Hardy elle-même. Alors moi, le petit frère, je ne pouvais m'empêcher de penser qu'elle m'adressait un message, une invitation.

Cette idée me trottait encore dans la tête quand nous arrivâmes au chalet, après avoir freiné tout le long de la grande côte qui donne une vue magnifique sur les rondeurs des Laurentides. La clef était suspendue à un clou sous le perron arrière ; la petite fille du bout de la route pouvait facilement l'atteindre quand elle venait s'occuper des deux chats, la vieille Chaloupe et un chat noir.

Comme il faisait beau, la Grande Sauterelle changea les draps du lit, les mit dans la machine à laver, puis les étendit sur la corde à linge qui se trouvait derrière le chalet. Pendant ce temps, je passai le balai, rangeai la nourriture dans le frigo, et retournai à l'épicerie pour acheter quelques fruits que je voulais placer au milieu de la table à manger. À mon retour, il ne nous restait plus rien à faire ; nous devions attendre que le soleil ait fini de sécher les draps.

Les deux chats avaient pris le large à notre arrivée, ensuite ils étaient revenus pour avaler des croquettes, et ils avaient déguerpi de nouveau. Nous étions seuls dans le chalet et je cherchais un moyen infaillible de séduire la Grande Sauterelle. Elle s'était allongée sur le couvre-matelas, les bras croisés derrière la tête.

Tout à coup elle dit :

— Je peux te demander quelque chose ?

— Tout ce que tu voudras.

J'étais plein d'espoir et, en même temps, je me rendais compte que je n'avais pas encore arrêté mon choix sur le texte qui allait m'apporter l'aide dont j'avais besoin.

— Viens te reposer avec moi, dit-elle. On a bien travaillé.

Je fis ce qu'elle demandait, le cœur battant mais avec un peu d'inquiétude.

— Tu veux bien me parler de ton livre ? demanda-t-elle.

Malgré moi, je laissai échapper un soupir de soulagement.

Elle se tourna vers moi.

— C'est ma question qui t'embête ?

— Mais non, pas du tout… Mon livre va très bien et les photos m'ont été d'un grand secours. Je suis presque arrivé à la fin.

— Tu as fait beaucoup de chemin. Au début, tu disais que tu n'étais pas capable d'écrire.

— Qui t'a dit ça ?

— C'est Jack.

Se tournant un peu plus vers moi, elle m'effleura la joue avec ses doigts repliés. Au moment où j'allais lui rendre sa caresse et en ajouter une autre, la porte-moustiquaire du chalet s'ouvrit. J'entendis le glissement furtif des chats qui couraient vers leur plat de nourriture, puis la silhouette de la petite fille du bout de la route apparut dans l'entrée de la chambre.

— Vous dormez ensemble ? demanda-t-elle.

— On se repose, dit calmement la Grande Sauterelle.

— Je peux me reposer avec vous ?

Sans attendre la réponse, la fillette retira ses chaussures et, en rampant, vint s'installer entre nous. Quelques instants plus tard, les deux chats la rejoignirent. Ils se mirent à ronronner.

— J'ai vu un autre chat noir dans le Volks, dit-elle. Il était endormi. Si je l'avais fait sortir, il se serait chicané avec la vieille Chaloupe.

— C'est probable, dit la Grande Sauterelle.

— On est très bien comme ça, non?

— Tu as raison, on est très bien, dis-je, et tout de suite je me mis à fredonner la chanson de Françoise Hardy pour dissimuler la pointe de déception qui avait percé dans ma voix.

## 19

## UN ENLÈVEMENT

À leur retour des Îles-de-la-Madeleine, la petite Limoilou et Marine partagèrent leur temps entre le chalet, où nous avions fait des provisions et un grand ménage, et le Vieux-Québec, où les spectacles et les amuseurs publics étaient encore nombreux en cette fin d'août.

Lorsqu'elle n'allait pas à la Maison des Jeunes, Limoilou avait besoin de se distraire, et elle était souvent accompagnée par Marine, par la Petite Sœur, et même par la Grande Sauterelle qui l'avait adoptée comme chacun de nous. Elle avait à peine dix-sept ans, elle était fragile, on voyait encore les cicatrices sur ses poignets.

Quant à moi, je me consacrais à mon travail d'écrivain fantôme. J'avais hâte de finir, mais l'inspiration était irrégulière. À certains moments, les mots ne venaient pas du tout ; à d'autres, notamment la nuit, ils arrivaient en abondance et je devais me lever pour écrire des phrases que je craignais d'oublier.

Sans le faire exprès, je me comportais de plus en plus comme Jack, c'est pourquoi je pensais souvent à lui.

Lorsque, me mettant dans la peau du hockeyeur, je racontais comment le Grand Club avait perdu son caractère français, je me disais que mon frère, au douzième étage, moitié debout, moitié assis dans un coin de sa chambre, essayait d'écrire le roman le plus simple, le plus beau et le plus émouvant de toute la littérature québécoise.

Il devait travailler encore plus fort qu'avant, si possible, car je ne l'avais pas vu depuis un bon moment. D'habitude, on l'apercevait une fois par semaine, traversant la rue d'un pas incertain pour aller s'asseoir dans son coin préféré de l'ancien cimetière St. Matthew.

Inquiet, je donnai un coup de fil à la Petite Sœur. Elle était plongée jusqu'au cou dans une histoire de femme battue ; la solution était d'autant plus difficile à trouver que l'épouse aimait encore son mari. Alors je demandai à la Grande Sauterelle si elle ne voulait pas monter chez mon frère avec moi. J'avais le pressentiment qu'il était arrivé quelque chose de grave à Jack.

La Grande Sauterelle elle-même se posait des questions. Depuis son retour de San Francisco, elle était allée le voir à plusieurs reprises. Elle l'avait trouvé chaque fois plus distant, pas du tout enclin à parler du passé, et comme hypnotisé par un paysage qu'il devinait dans le lointain et qu'il avait désigné une fois sous le nom d'Eldorado.

Dans l'ascenseur, nous ne parlions pas. L'image de Jack était entre nous deux. À la fin, elle s'approcha et colla son épaule contre la mienne, ce qui était sans doute une façon de dire qu'il ne servait à rien de se tracasser à l'avance.

En arrivant à l'appartement, je sortis la clef de ma poche, mais je n'eus pas à m'en servir, car la porte était entrouverte ; elle avait été forcée. J'eus un mouvement de recul. Ce fut la Grande Sauterelle qui entra la première. Je lui emboîtai le pas, m'attendant au pire : mon frère avait été attaqué, il avait essayé de se défendre et il gisait à terre, baignant dans son sang.

En suivant de près la fille qui parcourait les trois pièces, je ne vis rien d'aussi grave. Cependant, mon frère avait disparu et il y avait des traces de lutte. Dans le séjour, plusieurs livres étaient tombés des rayons ; dans la chambre, la lampe de chevet était par terre. Et il manquait le cahier d'écriture de Jack et son ordinateur portatif.

— Il a été emmené de force, dit la Grande Sauterelle.

— C'est aussi mon avis, dis-je. Et je pense que je sais pourquoi.

— Est-ce qu'il faut appeler la police?

— Non, je t'expliquerai.

Quand nous sortîmes, je réparai tant bien que mal la serrure. Le bruit attira l'attention de la voisine, qui ouvrit sa porte à moitié et s'informa :

— Est-ce qu'il est arrivé un accident à monsieur Waterman?

C'était une jeune femme au visage maigre et doux, qui parlait avec un accent étranger. Elle affirma que, deux jours plus tôt, elle avait entendu des bruits de dispute provenant de chez mon frère.

— Qu'est-ce que vous avez fait? demanda la Grande Sauterelle.

— Je voulais savoir s'il y avait un risque de blessures, alors j'ai collé mon oreille contre le mur. Les bruits ont diminué. Ensuite j'ai entendu des gens sortir de l'appartement.

— Et vous avez regardé par le petit trou de votre porte. Comment ça s'appelle, déjà?

— Chez nous, on dit l'œil de la porte, tout simplement. On dit aussi le judas...

— Qu'est-ce que vous avez vu? demandai-je, un peu impatient.

— Tout ce qu'on voit dans cet œil est déformé et assez flou, dit-elle, mais je suis sûre que j'ai vu trois hommes. Monsieur Waterman était entre les deux et ils l'emmenaient. J'ai eu l'impression que ses pieds ne touchaient pas à terre.

— Ils avaient l'air de quoi, les deux hommes qui étaient avec lui?

— Je n'ai pas eu le temps de bien les voir... L'un des deux avait le crâne rasé et une barbe noire comme du charbon.

— Avez-vous demandé de l'aide?

— J'ai essayé de vous prévenir, monsieur Francis. J'ai cherché Francis Waterman dans l'annuaire, mais je n'ai rien trouvé.

— Waterman, c'est un nom de plume, dis-je, tâchant de ne pas montrer mon agacement. Merci beaucoup, madame, pour vos informations. Je suis certain que ça nous servira un jour... Encore une question : les deux hommes, ils parlaient français ou anglais ?

— Ils parlaient anglais, dit la femme, puis elle referma sa porte, nous laissant seuls avec une angoisse qui nous mordait le cœur.

## 20

## LA VEILLÉE D'ARMES

La Grande Sauterelle m'étonna.

Je ne lui avais parlé que très brièvement des idées du hockeyeur, de mes échanges avec l'éditeur de Jack, des apparitions furtives de Mad Dog. Pourtant, lorsque nous nous arrêtâmes à mon appartement du premier étage, et que je me mis à lui expliquer comment, à mon avis, les choses s'enchaînaient les unes aux autres, elle m'arrêta d'un geste :

— J'ai tout compris. Il est évident que le commissaire et son homme de main n'ont pas très envie de voir des clubs francophones dans la Ligue nationale. Ne perdons pas de temps. Pour commencer, il faut prévenir tout le monde.

— Bien sûr.

Elle était déjà en train de téléphoner. L'image de l'ange gardien me traversa l'esprit, puis j'essayai de réfléchir. Comment les ravisseurs allaient-ils réagir au moment où ils se rendraient compte que le texte de Jack n'avait rien en commun avec l'autobiographie du joueur de hockey?

Quand la Grande Sauterelle eut rejoint Marine, Limoilou et la Petite Sœur, je lui posai la question qui me tracassait. Elle répondit sans hésiter :

— Ce qu'ils vont faire? Ils vont retourner chez Jack pour chercher l'autobiographie.

— Ils ne vont pas la trouver, dis-je.

— Non, mais ils vont trouver quelqu'un.

— Quelqu'un? Qui ça?

— Une personne qui sera là pour monter la garde.

— Tu penses à quelqu'un en particulier?

Elle me regardait en souriant.

— Toi, par exemple. Ou moi.

— Pourquoi pas les deux?

— C'est vrai. D'ailleurs, je ne t'aurais pas permis d'y aller tout seul.

— Pour quelle raison?

J'espérais qu'elle allait me dire, peut-être d'une manière détournée, qu'elle était attachée à moi ou quelque chose d'équivalent. Ce ne fut pas le cas.

— Parce que j'ai une arme, dit-elle.

— Le petit couteau à cran d'arrêt que tu portes à la ceinture quand tu dors?

— Non. J'ai un revolver. Un Lady Smith que j'ai acheté à San Francisco. En fait, c'est ton frère qui m'a conseillé de l'acheter.

— Ça coûte cher?

Je regrettai tout de suite la question: la Grande Sauterelle me regardait avec un air de défi. Puis elle se mit à rire.

— Disons que ça m'a coûté plusieurs jours de travail, dit-elle.

— Excuse-moi.

Après un moment de silence qui me parut trop long, je lui demandai comment elle avait fait pour passer le revolver à la douane.

— Il était dans mon short, dit-elle. Je savais bien que le douanier allait regarder un peu plus bas.

Là-dessus, elle reprit le téléphone et demanda aux filles de faire une tournée des endroits louches du Faubourg, en se fiant aux souvenirs de Limoilou. Pendant ce temps, nous allions attendre le retour des ravisseurs à l'appartement de Jack.

Nous fîmes des provisions pour deux ou trois jours. Surtout des surgelés, car aucun de nous deux n'avait le goût de cuisiner. À dix-neuf heures trente, nous étions assis chez mon frère devant des barquettes de canard à l'orange et au riz, que nous avions réchauffées au micro-ondes. C'était parfaitement insipide et nous jetâmes le tout à la poubelle. Heureusement, le frigo de Jack contenait des pots de sauce à spaghettis : je préparai un souper aux pâtes.

Le soir tombait.

La Grande Sauterelle, fléchissant ses longues jambes, s'assit à terre pour choisir un livre dans la bibliothèque. J'allumai une lampe. Elle n'arrivait pas à se décider, alors je lui proposai un court roman de monsieur Philippe Djian, *Mise en bouche*. C'était l'histoire d'un homme et d'une femme qui avaient des rapports amoureux au cours d'une prise d'otages.

Pour ma part, j'optai pour un recueil de nouvelles d'Ernest Hemingway. Après avoir consulté la table des matières, j'arrêtai mon choix sur un récit intitulé *Le champion*, tout simplement parce que Jack m'avait dit qu'il l'aimait.

Lire silencieusement en compagnie de quelqu'un était une expérience nouvelle pour moi. Je m'installai sur la chaise de mon frère. La Grande Sauterelle s'allongea sur le divan, le dos calé sur deux coussins, les genoux pliés de manière à coincer le roman entre ses cuisses.

Par moments, l'un de nous deux ne résistait pas au plaisir de lire une phrase à haute voix. Nous avions l'impression, à tour de rôle, de lire pardessus l'épaule de l'autre. C'était un bon remède à notre angoisse.

L'appartement de mon frère était paisible. On n'entendait que la rumeur lointaine de la ville et, parfois, le vrombissement du bus n° 7 ou la pétarade d'une Harley-Davidson dans la rue D'Aiguillon.

Vers onze heures trente, la Grande Sauterelle se mit à bâiller et je fis de même. Pendant qu'elle était sous la douche, j'ouvris le divan-lit du séjour. C'était une façon de lui dire qu'elle avait le choix, qu'elle n'était pas obligée de m'inviter à dormir dans la chambre. Je pris une douche à mon tour et, en sortant, je l'entendis m'appeler :

— Peux-tu venir, s'il te plaît?

— Bien sûr, dis-je sur un ton détaché, comme si mon cœur ne battait pas à une vitesse folle.

J'entrai dans la chambre, vêtu du peignoir en ratine de Jack. La lampe de chevet était allumée. Il y avait, sur la petite table, le roman de monsieur Djian, les bouchons d'oreille de mon frère, un flacon de pilules roses et un demi-verre d'eau. Sur une chaise, de l'autre côté du lit à deux places, le short de la Grande Sauterelle et son débardeur.

Elle était couchée sur le dos, son corps mince recouvert jusqu'aux épaules par un drap de couleur marron.

J'hésitais.

— Viens, dit-elle, en se poussant vers la table de chevet. Elle fit un geste de la main qui me sembla difficile à comprendre. Je m'assis sur le bord du lit.

— Ça va ? fit-elle.

— Oui, dis-je, d'une voix mal assurée.

— Tu es sûr ?

— Mais oui.

Elle plongea une main sous l'oreiller et en sortit le revolver, qu'elle me tendit sans se soucier du fait que le drap glissait de son épaule.

— En entrant, c'est toi que les ravisseurs vont apercevoir en premier.

Je pris l'arme par la crosse, en bois foncé. Le canon était très court. Il y avait des cartouches dans le barillet.

— Tu sais t'en servir ? demanda-t-elle.

— J'ai vu des films.

En silence, avec des gestes seulement, elle me montra comment on pouvait empêcher l'arme de bouger au moment de presser la détente, en utilisant la main gauche pour soutenir le poignet.

— Merci pour l'explication, dis-je.

— C'est rien, dit-elle.

Après avoir placé le revolver dans la poche du peignoir, je demeurai assis au bord du lit. Je comptai mentalement jusqu'à vingt. La Grande Sauterelle était immobile, appuyée sur un coude. Elle me regardait mais ne disait rien. J'attendis encore cinq secondes. Dans ses yeux, je vis une froide détermination et rien d'autre. Comme elle, je m'efforçai de ne pas laisser paraître mon inquiétude.

— Bonne nuit, dis-je.

— Bonne nuit, dit-elle en remontant le drap.

La première chose que je fis, dans la salle de séjour, fut de glisser le revolver sous mon oreiller. Ensuite je m'installai sur le divan-lit et commençai à lire une autre nouvelle de monsieur Hemingway, qui s'appelait *Veillée d'armes*.

Je tendais l'oreille.

Quand j'entendis la Grande Sauterelle éteindre sa lampe de chevet, j'éteignis la mienne.

## 21

## LES DEUX MANUSCRITS

Le match contre Toronto allait commencer.

Isidore Dumont, le gardien du Grand Club, raclait la surface glacée de son rectangle pour la rendre moins glissante. Mais ses patins, au lieu d'un raclement, faisaient entendre un bruit métallique. Une sorte de cliquetis.

Je me réveillai en sursaut.

Ils étaient là tous les trois. Je veux dire, mon frère et, derrière lui, Mad Dog accompagné d'un individu portant veston et cravate. Je ne voyais pas bien cet homme parce que le jour se levait à peine. De plus, Jack me bouchait la vue : penché vers moi, il me tapait sur l'épaule. Il avait les traits tirés et de larges cernes autour des yeux.

— Qu'est-ce que tu fais là ? demanda-t-il.

Il se redressa et aperçut, en même temps que moi, la Grande Sauterelle qui venait de paraître dans l'entrée du séjour. Elle avait mis son débardeur et son short.

— Toi aussi ? s'étonna-t-il. Qu'est-ce que vous faites chez moi ?

— On est venus voir si tu avais besoin d'aide, dit-elle posément.

— Parfait ! dit Mad Dog d'une voix rauque. On a tous besoin d'aide. On cherche un manuscrit. Vous êtes bien d'accord, monsieur Gary ?

— *Yes* !

Celui qu'il appelait Gary était l'homme en costume. Il avait des lèvres minces et un sourire glacial dans un visage arrondi comme la pleine lune.

Apparemment, il comprenait un peu le français mais ne le parlait pas.

Profitant de ce que les deux hommes se regardaient, Jack m'adressa un clin d'œil. C'est mon frère, alors je devinai ce qu'il pensait : c'était à moi de le tirer de ce mauvais pas, car j'étais le seul à connaître avec précision le contenu du manuscrit. Je lui fis un léger signe de tête pour lui dire que j'avais pigé. En même temps, je déplaçai l'oreiller de manière à m'asseoir sur le divan-lit en m'appuyant le dos. En fait, je voulais surtout vérifier si le revolver était toujours là.

Mad Dog et son employeur fouillaient déjà dans les tiroirs. La Grande Sauterelle et Jack prirent place avec moi sur le divan-lit. Pendant que les deux ravisseurs étaient occupés, elle s'empara du revolver et le remit à l'intérieur de son short.

Dans le séjour, il n'y avait qu'une commode, haute mais très étroite. Les deux hommes eurent tôt fait de constater qu'elle ne contenait pas le texte de l'autobiographie. Ils devinrent encore plus impatients. Mad Dog nous jeta un regard furibond, puis il s'accroupit devant la plus grande des bibliothèques et se mit à retirer des livres à pleines mains, cherchant à voir si le manuscrit n'était pas caché derrière les rayons. Tout en accomplissant cette tâche, il s'adressa au dénommé Gary sur un ton respectueux ; il lui demanda en anglais s'il voulait bien entreprendre des recherches dans la chambre.

Avant de faire ce qu'on lui suggérait, l'homme se rendit dans l'entrée et apporta une mallette que le demi-jour ne m'avait pas permis d'apercevoir.

— Ton ordinateur est revenu, dis-je tout bas à Jack.

— Mon brouillon de roman aussi, j'espère, fit-il sur le même ton.

Mad Dog intervint rudement :

— Ne chuchotez pas !

— Sinon ?… fit la Grande Sauterelle.

Il se tourna vers elle sans se relever, et considéra en alternance sa poitrine et la protubérance de son short. À mon avis, il n'arrivait pas à décider, malgré la longueur des cheveux, s'il avait affaire à un homme ou à une femme.

— Sinon, vous pourriez subir le même sort que Waterman, dit-il finalement.

— C'était si grave que ça? demanda-t-elle à Jack.

— Trouves-tu que j'ai l'air plus *magané* que d'habitude?

— À part quelques détails, je dirais que non.

— On peut arranger ça si vous voulez, dit Mad Dog.

Je décidai qu'il était temps d'intervenir.

— Ça ne donnerait pas grand-chose, dis-je.

— Pourquoi?

— Parce que la solution, c'est moi qui la connais.

Jack me regarda avec inquiétude, mais je le touchai avec mon pied, sous le drap, pour le rassurer.

Mad Dog se remit debout et, les mains sur les hanches:

— C'est vous qui avez le manuscrit? demanda-t-il.

— Oui et non, dis-je.

Il me jeta un regard si mauvais que j'enchaînai:

— Mon frère me l'a remis pour que je corrige les fautes.

— C'est vrai, dit Jack, avec aplomb.

— Il n'y avait pas beaucoup de fautes, dis-je.

— ON S'EN FOUT! cria Mad Dog. Qu'est-ce que vous avez fait du manuscrit? Il est chez vous?

— Non, il est à la banque, dans un coffre-fort.

— C'est précieux, un manuscrit, renchérit la Grande Sauterelle.

À ce moment, Gary, le représentant de la Ligue nationale, revint de la chambre et fit un geste d'impuissance.

— *I found nothing*, dit-il.

Mad Dog entreprit de lui expliquer ce qui venait d'être dit, mais l'homme fit signe qu'il avait compris. Il ajouta en anglais que le coffre était probablement un de ces casiers à deux clefs et que, pour cette raison, les chances de recouvrer le texte étaient minces.

Jack, la Grande Sauterelle et moi, toujours assis sur le divan-lit, étions satisfaits de la tournure des événements. Cependant, Mad Dog n'abandonnait pas la partie. Il me regarda droit dans les yeux :

— Donc le manuscrit, vous l'avez lu?

— Bien sûr, dis-je.

— Vous pouvez m'en parler? demanda-t-il.

Je ne répondis pas : on frappait à la porte. La Grande Sauterelle alla ouvrir. C'étaient les filles, Marine, Limoilou et la Petite Sœur. Elles parurent étonnées de voir Jack. Celui-ci fit rapidement les présentations, et Marine s'approcha de lui :

— Tout se passe comme tu veux?

— Ça va très bien, répondit-il, puis il me poussa du coude pour montrer qu'il appréciait ma façon de me débrouiller.

— Dans ce cas, je vais m'occuper de Limoilou. On n'a pas beaucoup dormi.

— Ici non plus, dis-je, à voix basse.

— FERMEZ-LA! hurla Mad Dog. C'est la dernière fois que je vous le dis!

La Petite Sœur se planta devant lui. Elle est, en général, souriante et affectueuse, mais quand elle se met en colère, surtout pour défendre quelqu'un, je ne connais personne qui se risquerait à lui tenir tête.

Mad Dog baissa les yeux et me proposa d'une voix radoucie :

— Acceptez-vous de me parler du manuscrit?

— Avec plaisir, dis-je.

L'atmosphère était plus détendue. Marine en profita pour emmener Limoilou à la cuisine, et j'entendis les deux filles se préparer des céréales.

J'invitai Mad Dog et Gary à poser leurs questions.

— Est-ce que le texte est agressif envers les Anglais? demanda Mad Dog.

— Je ne trouve pas, dis-je. D'ailleurs, tout le monde sait que mon frère n'a pas une once d'agressivité.

— Je confirme, dit la Grande Sauterelle.

— Est-ce qu'on va demander qu'à Montréal, l'hymne national soit chanté en français d'un bout à l'autre?

— Oui, tout comme il est chanté seulement en anglais à Toronto et dans le reste du Canada.

— Vous ne trouvez pas ça normal? demanda la Petite Sœur.

Mad Dog et Gary se consultèrent du regard.

— *Yes, it's normal*, dit Gary, en écartant les bras dans un geste de résignation.

— En plus, dit Mad Dog, on voudrait que la plupart des joueurs du Grand Club soient des francophones comme autrefois?

— C'est facile à comprendre, dis-je. Mettez-vous à la place d'Isidore Dumont. Il vient au monde à Batoche, en Saskatchewan, comme mon frère a dû vous le dire. Très tôt, il apprend de quelle manière ses ancêtres métis ont défendu leurs droits et leurs traditions, avant d'être écrasés par les troupes du général Middleton. Voulez-vous qu'on vous donne des détails sur la bataille qui s'est déroulée à Batoche?

— *No, thanks*, dit Gary.

— Par exemple, ajouta la Grande Sauterelle, des détails sur les petits vieux de soixante-dix et quatre-vingt-dix ans qui ont été abattus par les Anglais?

— Ça ne nous regarde pas: c'est du passé, dit faiblement Mad Dog.

— Pour certaines personnes, dis-je, le passé ne s'arrête jamais. Quand Isidore est allé jouer à Prince Albert, puis à Saskatoon et à Regina, il a été forcé de parler anglais. Comprenez-vous? Au moment du repêchage par le Grand Club, le recruteur l'a salué en anglais. Lorsqu'il a été envoyé dans une filiale de la Ligue américaine, tout le monde s'adressait à lui en anglais. Enfin, quand il est devenu le deuxième gardien de l'équipe montréalaise, il y avait seulement trois francophones dans le vestiaire. La langue du club, c'était l'anglais.

Je repris mon souffle avant de continuer :

— Pourtant, on était à Montréal, la métropole d'une province dont la langue officielle est LE FRANÇAIS ! C'EST FACILE À COMPRENDRE, NON ?

Mad Dog et Gary échangèrent des regards inquiets.

— Il y a beaucoup d'anglophones à Montréal, fit observer Mad Dog.

— C'est vrai, dis-je, en m'efforçant de retrouver mon calme.

Je me gardai bien de mentionner que les revendications du hockeyeur allaient plus loin. Ne voulait-il pas garder les buts d'une équipe dont les propriétaires et les entraîneurs seraient des francophones ? En somme, une équipe à l'image du Québec et à laquelle les Québécois pourraient s'identifier ?

Ces revendications, je les trouvais bien normales, moi qui avais appris dans les livres d'histoire comment les Français et leurs descendants, souvent des sang-mêlé, avaient découvert et sillonné la plus grande partie de l'Amérique du Nord avec l'aide des Indiens ; comment ils avaient été dépossédés de cet immense territoire par la guerre ou la politique ; comment ils avaient résisté à toutes les tentatives d'assimilation et avaient réussi à protéger leur langue et à devenir maîtres de leur économie.

Comme tout le monde, je n'ignorais pas que les descendants des Français, presque aussi métissés que le gardien Isidore, étaient maintenant regroupés, pour la plupart, dans un recoin de l'Amérique. Un îlot francophone dans un océan d'anglophones. Parce que leurs conditions de vie s'étaient améliorées, ils avaient tendance à oublier qu'il ne leur restait plus qu'un pas à franchir pour atteindre la dernière étape, celle à laquelle leur histoire les conduisait tout naturellement : l'indépendance.

Ne sachant rien de mes convictions personnelles, Mad Dog et Gary, après un bref conciliabule tenu derrière la porte entrouverte des toilettes, se déclarèrent satisfaits de mes explications. Ils acceptaient de relâcher Jack, mais à une condition…

— Laquelle ? demanda mon frère.

— Vous nous montrez le texte avant de l'envoyer à l'éditeur.

— Mais… c'est tout naturel !

Jack fit le signe de la victoire en écartant l'index et le majeur. Personne ne connaît mon frère aussi bien que moi, alors je fus probablement le seul à comprendre la véritable signification de son geste : en montrant *deux* doigts, il me disait de préparer *deux* manuscrits, un pour l'éditeur et un autre, expurgé, pour les ravisseurs.

Il était sept heures moins le quart. Marine et Limoilou avaient fini d'avaler leurs céréales dans la cuisine et se préparaient à se rendre au studio d'en bas pour se reposer. Gary et son homme de main se retirèrent, l'air penaud, en bredouillant des excuses, moitié en anglais, moitié en français. La Petite Sœur ne leur faisait pas confiance ; elle annonça qu'elle allait descendre par l'escalier et les suivre de loin, juste pour voir.

Je restai seul avec la Grande Sauterelle et Jack. Maintenant que la lumière était meilleure, en dépit du fait qu'elle venait du nord-est, je pouvais voir qu'il paraissait à bout de forces.

— Qu'est-ce qu'ils t'ont fait ? demandai-je.

— Rien de spécial, ils m'ont seulement empêché de dormir.

— En faisant quoi ?

— En me posant toutes sortes de questions sur le manuscrit.

— Tu ne pouvais pas répondre.

— C'était préférable… Mais avec tout ça, j'ai perdu du temps. Il faut que je travaille.

La Grande Sauterelle intervint :

— Pas question. Pour commencer, tu vas dormir un peu.

Elle le prit par la main et l'emmena dans la chambre. Je les suivis. Elle le fit s'asseoir sur le bord du lit. J'étais étonné de voir qu'il se laissait faire. Elle lui enleva ses chaussures et souleva ses jambes pour l'aider à s'allonger. Quand sa tête se posa sur l'oreiller, il sourit.

— Mmm… Le lit sent vraiment bon, murmura-t-il en fermant les yeux.

Nous quittâmes la chambre.

Je fermai la porte tout doucement et prêtai l'oreille. Les bruits que j'entendis me firent comprendre que mon frère s'était relevé et qu'il se préparait à travailler dans son coin.

## 22

## LE ROULIS DU VOLKSWAGEN

Pour fêter le dénouement de cette histoire, j'invitai la Grande Sauterelle à déjeuner au Hobbit.

En voulant tirer la porte, je compris que le restaurant n'était pas encore ouvert : nous arrivions trop tôt. Par chance, la Grande Sauterelle reconnut un garçon qui dressait les tables à l'intérieur. Elle toqua d'un doigt à un carreau. Le garçon vint nous ouvrir et referma la porte à clef derrière nous. Il prit la fille dans ses bras et la serra contre lui, un peu trop fort à mon goût. Après m'avoir salué d'un signe de tête, il nous installa dans la section qui était la moins visible de la rue.

Les émotions nous avaient ouvert l'appétit ; le café et les muffins aux bleuets étaient excellents. En sortant du restaurant, la Grande Sauterelle proposa :

— Tu viens faire un tour chez moi?

— Avec grand plaisir, dis-je.

Sa voix chantait un tout petit peu, c'était de bon augure. Mon impression se confirma lorsque, m'ayant fait entrer et ayant servi un gros bol de nourriture au chat noir, elle ferma tous les rideaux des fenêtres, y compris celui qui masquait le pare-brise. Pour l'aération, elle entrouvrit la porte-moustiquaire donnant sur la falaise.

Après avoir transformé en lit la banquette arrière, elle me demanda :

— As-tu le goût de boire un autre café?

— Non merci, dis-je.

— La nuit dernière, as-tu réussi à dormir?

— Une heure ou deux, vers la fin. Et toi?

— Pas assez longtemps!

Sur ce, elle sortit le revolver de son short et le dissimula quelque part sous l'évier. Ensuite, me tournant le dos, elle retira ses vêtements et se glissa sous le drap. Tout ça en deux secondes, puis je l'entendis murmurer:

— Viens avec moi, si le cœur t'en dit.

En un instant, mes doutes, mes incertitudes disparurent. Assis sur la banquette, j'enlevai très lentement mes sandales, mon jean et mon t-shirt. Quand je plaçai mes vêtements sur le siège du passager, je vis que le chat dormait dans la boîte à gants. Je soulevai le drap et m'allongeai près de la Grande Sauterelle. Il y avait un petit espace entre nous et pourtant, je le jure, je sentais sa chaleur tout le long de mon côté gauche: sur ma jambe, ma hanche, mon épaule. J'avais envie de me rapprocher, mais rien ne pressait. Il fallait que je choisisse un texte parmi ceux que j'avais appris à l'époque de mon «conditionnement».

J'avais eu du succès avec Saint-John Perse et avec Alain Grandbois. Cette fois, j'allais peut-être recourir à monsieur Hubert Aquin. Je pesai le pour et le contre. À la fin, je choisis Ernest Hemingway à cause de la vigueur de son style.

Plus précisément, je songeais à certains passages de *Pour qui sonne le glas* que je connaissais par cœur. Les passages où le héros, Robert Jordan, partageait son sac de couchage avec la jeune Maria. Des phrases commençaient à venir dans ma tête, comme celle-ci:

> «Les cheveux de la jeune fille étaient un peu plus foncés que le reste, mais ils deviendraient plus clairs tandis que sa peau se hâlerait davantage, douce peau à la surface d'or pâle recouvrant un feu plus sombre...»

Ce n'était qu'une phrase préliminaire. Il ne fallait pas perdre de vue que l'extrait choisi lors du traitement à l'Hôtel-Dieu exigeait un effort de concentration; d'ailleurs, c'était ce que je m'apprêtais à faire, lorsque la Grande Sauterelle demanda:

— Sais-tu à quoi je pense?

— Non. À quoi?

— Lorsque les gens de la Grande Ligue vont lire ton texte, je veux dire celui qui sera publié, avec les propos nationalistes et tout...

— Oui...

— Est-ce qu'ils ne risquent pas de comprendre qu'on s'est moqué d'eux?

— C'est probable.

— Alors, est-ce qu'ils n'auront pas envie de s'en prendre à Jack? As-tu pensé à ça?

En fait, je n'y avais pas pensé du tout. Je n'avais pas eu le temps. Mais là, dans le vif de la conversation, je prétendis le contraire:

— Bien sûr, dis-je. Et j'ai trouvé une solution.

— Quel genre?

— Les Îles-de-la-Madeleine. Pendant leurs vacances aux Îles, Marine et Limoilou sont devenues très amies avec un propriétaire de chalets. Alors, voici la solution: au moment de la publication, on va envoyer mon frère dans un des chalets et le propriétaire s'occupera de lui. C'est tout simple.

J'étais moi-même surpris d'avoir inventé cette réponse aussi facilement.

— Je pourrais le conduire aux Îles avec le Volks, proposa la Grande Sauterelle.

— C'est pas nécessaire, dis-je. On a déjà réservé un billet d'avion.

Elle réfléchit quelques instants.

— Alors, tout est arrangé, conclut-elle.

Sur le coup, je ne pris pas garde à cette petite phrase. J'étais trop content d'être avec elle; parfois le bonheur étouffe la lucidité. De plus, en parlant, elle s'était approchée de moi. Elle me touchait avec son dos, ses fesses et ses pieds.

— Tu veux bien te mettre sur le côté? demanda-t-elle.

Je fis comme elle disait, alors elle se colla très fort contre moi. Je fus envahi des pieds à la tête par sa chaleur et celle-ci devint encore plus intense quand elle me demanda de passer un bras sous son cou et l'autre autour de sa taille. Elle avait une poitrine très ferme, assez petite, et ses hanches n'étaient pas plus larges que les miennes.

Elle ronronna comme un chat lorsque je m'aventurai à prendre un de ses seins au creux de ma main. Au bout d'un moment, elle se retourna vers moi. Elle m'embrassa sur la bouche, très doucement, puis recula sa tête et me regarda dans les yeux. Je n'étais pas en mesure de bien démêler les émotions qui m'assaillaient, mais l'idée la plus nette qui me vint en tête, c'était qu'elle cherchait à voir si nous étions au diapason. Elle ne trouva pas la réponse, je suppose, car elle demanda :

— Est-ce que ça va bien?

— Ça va toujours bien quand je suis avec toi.

La réponse était plutôt convenue, je l'avoue, mais je me trouvais dans un état euphorique. J'étais heureux, parfaitement heureux pour la première fois de ma vie.

Je frottai mon nez contre le sien.

— Et toi, comment vas-tu?

— Puisque tu vas bien, je vais bien aussi.

Pour lui dire merci, je posai mes lèvres un peu partout sur son visage : les paupières, les tempes, les pommettes, la commissure des lèvres. En retour, elle noua ses mains autour de mon cou et s'allongea sur moi en ronronnant si fort, cette fois, que je me demandai pourquoi le vieux Chop Suey ne quittait pas sa boîte à gants pour venir nous rejoindre.

Nous roulions l'un sur l'autre, étroitement enlacés et genoux emmêlés, jusqu'à la paroi du Volks, puis nous faisions le court trajet en sens inverse. Le drap ne nous couvrait plus du tout, et ce que j'avais l'occasion d'apercevoir me plaisait infiniment. En même temps, nous n'arrêtions pas de nous embrasser, sauf pour échanger des mots doux et pour commenter en souriant le roulis que subissait le véhicule et les questions que les passants éventuels devaient se poser.

Au début, je gardais les yeux ouverts, essayant de voir si le désir de la Grande Sauterelle montait au même rythme que le mien. Bientôt, je dus y renoncer, car nous fûmes emportés par une fièvre qui nous collait l'un à l'autre et nous donnait l'envie de n'être plus qu'une seule personne.

La marée de plaisir était si puissante que, contrairement au pronostic du spécialiste qui m'avait enlevé la noisette du côté droit, je constatai tout à coup, sans m'être concentré sur le texte de monsieur Hemingway, que j'avais quelque chose qui ne pouvait être qu'un numéro 5. Et voilà que ce numéro 5, tout naturellement, se glissait dans l'intimité de la Grande Sauterelle.

J'entendis comme un petit gémissement, puis elle demanda :

— Ça te convient, si je m'installe sur toi? Après, on fera comme tu voudras.

— C'est parfait, dis-je.

Elle bougeait lentement et j'étais tout à fait bien.

Il me semblait que je flottais quelque part entre la terre et le ciel, et je me disais qu'il y avait certainement un paradis pour les petits frères.

## 23

## UNE GRAINE DANS L'ŒIL

Jack avait repris son travail.

À cause de son enlèvement, il avait introduit une anecdote policière dans son roman. Il ne savait pas jusqu'où cette nouvelle idée allait le conduire, mais à présent son rythme d'écriture atteignait une page par jour, ce qui ne s'était pas produit depuis ses premiers livres.

La Grande Sauterelle lui avait prêté son revolver, et il le glissait dans sa ceinture chaque fois qu'il entendait du bruit à la porte. Or, la plupart du temps, ce n'était que la Petite Sœur ou moi-même qui venions déposer, le plus discrètement possible, de la nourriture toute prête sur la chaise de l'entrée.

Marine était retournée à l'île d'Orléans avec ses chats, les chevaux de course à la retraite, les biches aux chevilles délicates, les renards à la queue touffue, les ratons laveurs, les rats musqués, les grands hérons bleus, et la petite fille aux tresses horizontales, qui posait maintenant des séries de questions sur la mort parce que son grand-père s'était éteint, une nuit, dans son fauteuil roulant.

Limoilou se rendait à l'île de temps en temps, mais elle préférait rester à Québec. Elle fréquentait toujours la Maison des Jeunes. Quiconque flânait aux alentours des rues Saint-Gabriel et des Augustines, par les nuits très chaudes, pouvait entendre des chansons et des airs de musique venant de plusieurs pays.

Quant à moi, le fantôme, qui aspirais à retrouver au plus tôt mon travail de lecteur professionnel, je donnais un dernier coup de collier à ma fausse autobiographie.

Comme il n'était pas facile de préparer une version expurgée pour le commissaire de la Ligue nationale, la Grande Sauterelle me donnait un coup de main. Je lui apportais chaque soir les feuillets que j'avais imprimés dans la journée : c'était un excellent prétexte pour être avec elle dans le Volks. Elle accomplissait ce travail très consciencieusement. En cas de doute, elle communiquait avec Marine qui était une experte en écriture à cause de son métier de traductrice.

L'attitude de la Grande Sauterelle envers moi avait changé quelque peu depuis l'épisode du roulis. Elle me traitait avec un supplément de douceur, si je peux dire ; elle ne ménageait pas ses caresses, et parfois elle me regardait longuement dans les yeux comme si elle voulait s'assurer que je ne manquais de rien.

Un matin, mon travail d'écrivain fantôme prit fin d'une manière abrupte. Les dernières phrases étaient arrivées d'un seul bloc pendant la nuit et, à mon avis, on ne pouvait pas les améliorer. Je montai chez mon frère au douzième étage et glissai ce mot sous sa porte : « Travail terminé. Deux exemplaires comme prévu. Veux-tu jeter un coup d'œil au texte destiné à l'éditeur ? »

Je remontai chez lui en fin d'après-midi et trouvai cette réponse : « Non ! »

Il aurait pu me dire merci... Ce n'était pas grave.

* * *

Huit heures du soir. Très fatigué, je m'étais couché pour faire un petit somme, mais j'avais dormi trop longtemps.

Je me hâtai de traverser la rue Saint-Jean. La première chose que je notai, c'est que l'espace de stationnement, en face de la Tour du Faubourg, n'était plus fermé. Je veux dire, le cadenas avait été ouvert et la grosse chaîne de métal traînait par terre, le long du trottoir, comme chaque fois que mon amie allait faire des courses avec le Volks.

La Grande Sauterelle était assise au volant.

Je m'approchai.

— Bonjour Pitsémine, dis-je.

— Bonjour Francis. C'est rare que tu m'appelles par mon nom de Montagnaise.

Sa voix était aussi douce que d'ordinaire, mais elle ne chantait pas.

— J'arrive à temps, dis-je. Tu allais partir?

— Pas tout de suite. J'attendais que tu viennes.

M'approchant de la portière, je vis que la banquette arrière avait été redressée et que chaque chose était à sa place dans le Volks, y compris le chat noir. Ce n'était pas pour faire des courses qu'elle partait. Je me rappelai brusquement sa petite phrase : «Alors, tout est arrangé», et mon cœur se brisa. Comme toujours, je fis semblant de rien, je gardai tout en moi : la tristesse et le sentiment que j'allais perdre ce que j'avais de plus précieux au monde.

— Tu vas dans quelle direction? demandai-je, d'une voix qui tremblait malgré tous mes efforts.

— Sud-Ouest, dit-elle.

— San Francisco?

— Peut-être. Tu veux faire un bout de chemin avec moi?

J'eus très envie de répondre oui et de partir avec elle, sur un coup de tête, sans aucun bagage. Mais j'avais compris une chose importante : la Grande Sauterelle m'aimait presque autant que je l'aimais, toutefois c'était la route qu'elle aimait le plus. La route et la liberté.

Elle me regarda un long moment, et il y avait beaucoup de tendresse dans ses yeux, puis elle mit le moteur en marche.

— Bonne route! dis-je, en m'efforçant de sourire.

— Merci. Tu veux bien saluer tout le monde pour moi? Je n'aime pas les adieux.

— D'accord, je vais le faire pour toi.

Le vieux Volks commença à descendre la rue Saint-Jean. J'avais du mal à le suivre du regard. Ma vision était brouillée. Une graine dans l'œil ou quelque chose de ce genre.

## SOURCES

Combet, Denis et Toussaint, Ismène, éd., *Gabriel Dumont. Souvenirs de résistance d'un immortel de l'Ouest*, Québec, Cornac, 2009.

Franzwa, Gregory, A., *The Oregon Trail Revisited*, Tooele, The Patrice Press, 1983.

Grandbois, Alain, *Lettres à Lucienne*, Montréal, Hexagone, 1987, p. 100.

Hébert, Anne, *Kamouraska*, Paris, Seuil, 1970.

Hemingway, Ernest, *Défense du titre*, entretiens réunis et présentés par Matthew J, Bruccoli, traduction de Iawa Tate, Paris, Belfond, 1992, p. 85; p. 161; p. 249; p. 118.

Hemingway, Ernest, *Pour qui sonne le glas*, traduction de Denise Van Moppès, Paris, © Gallimard, 1961.

Mingarelli, Hubert, *Le voyage d'Eladio*, Paris, Seuil, 2005.

Montbarbut, Johnny, Histoire de l'Amérique française / Jean-Marie Montbarbut Du Plessis, Montréal, Typo, 2004, p. 140.

Rivière, Jean-Max, *L'amitié*, chanson interprétée par Françoise Hardy.

Saint-John Perse, *Amers*, Paris, © Gallimard, 1957, p. 119.

Woodcock, George, *Gabriel Dumont: le chef des Métis et sa patrie perdue*, traduit par Pierre DesRuisseaux et François Lanctôt, Montréal, VLB éditeur, 1986, p. 63; p. 315-317.

TABLE


1. L'ÉCRIVAIN FANTÔME .................................... 11
2. L'ORCHIDÉE .................................... 15
3. LA GRANDE SAUTERELLE .................................... 18
4. LE PETIT .................................... 22
5. LA CHASSE AU BISON .................................... 25
6. LE VIEUX OUELLETTE .................................... 31
7. L'HOMME QUI RESSEMBLAIT À MAD DOG .. 35
8. UN NUMÉRO CINQ .................................... 37
9. LE STYLE DU GARDIEN DE BUT .................................... 44
10. LA LIBRAIRIE ET LE CIMETIÈRE .................................... 48
11. LA RIVIÈRE CHAUDIÈRE .................................... 53
12. LE CHE GUEVARA DE LA SASKATCHEWAN .. 61
13. LE BAR DE LA CÔTE SAINTE-GENEVIÈVE ..... 64
14. CONSEILS GÉNÉRAUX SUR L'ÉCRITURE ....... 71
15. LES ANGES GARDIENS .................................... 76
16. LES CHIENS DU QUÉBEC .................................... 82
17. UN FANTÔME INQUIET .................................... 87
18. UN MOMENT DE REPOS AVEC LES CHATS .. 90
19. UN ENLÈVEMENT .................................... 96
20. LA VEILLÉE D'ARMES .................................... 100
21. LES DEUX MANUSCRITS .................................... 105
22. LE ROULIS DU VOLKSWAGEN .................................... 113
23. UNE GRAINE DANS L'ŒIL .................................... 118

SOURCES .................................... 123

OUVRAGE RÉALISÉ PAR
LUC JACQUES, TYPOGRAPHE
ACHEVÉ D'IMPRIMER
EN SEPTEMBRE 2011
SUR LES PRESSES
DE MARQUIS IMPRIMEUR
POUR LE COMPTE DE
LEMÉAC ÉDITEUR, MONTRÉAL

DÉPÔT LÉGAL
1re ÉDITION : 3e TRIMESTRE 2011
(ÉD. 01 / IMP. 01)
Imprimé au Canada